Acrylique

Acrylique

Ian Sidaway

Traduit de l'anglais par
Hélène Tordo

97-B, Montée des Bouleaux
Saint-Constant, Qc, J5A 1A9
Tél.: (450) 638-3338 Fax: (450) 638-4338
Web: www.broquet.qc.ca / Courriel: info@broquet.qc.ca

UN LIVRE DE QUARTO

CATALOGAGE AVANT PUBLICATION DE BIBLIOTHÈQUE ET ARCHIVES CANADA

Sidaway, Ian
Acrylique
(Inspiration artistique)
Traduction de : Painting with acrylics.
Comprend un index.

ISBN 2-89000-731-6

1. Peinture acrylique. 2. Peinture acrylique - Technique.
I. Titre. II. Collection.

ND1535.S5214 2005 751.4'26 C2005-941995-4

POUR L'AIDE À LA RÉALISATION DE SON PROGRAMME ÉDITORIAL, L'ÉDITEUR REMERCIE :

Le Gouvernement du Canada par l'entremise du Programme d'Aide au Développement de l'Industrie de l'Édition (PADIÉ) ; La Société de Développement des Entreprises Culturelles (SODEC) ; L'Association pour l'Exportation du Livre Canadien (AELC).

Le Gouvernement du Québec - Programme de crédit d'impôt pour l'édition de livres - Gestion SODEC.

Cet ouvrage est paru sous le titre original
Painting with acrylics

Édition originale
Responsable éditoriale : *Jo fisher*
Responsable maquette : *Anna Knight*
Maquettiste : *Julie Francis*
Directrice artistique adjointe : *Penny Cobb*
Photographe : *Martin Norris*
Directrice artistique : *Moira Clinch*
Éditeur : *Paul Carslake*

Pour le Québec

Broquet inc.
Dépôt légal — Bibliothèque nationale du Québec
1er trimestre 2006

ISBN : 2-89000-731-6

Imprimé à Singapour par Star Standard (PTE) Ltd

« La couleur dans un tableau est comme l'enthousiasme dans la vie. »

Vincent Van Gogh

Sommaire

Les réalisations

Les projets

Introduction

L'arrivée de l'acrylique dans l'univers de la peinture est assez récente, mais elle a ouvert un champ d'expérimentation qu'aucune autre peinture n'a permis. Par ailleurs, sa texture si particulière a séduit de nombreux artistes.

Le premier avantage de l'acrylique sur les autres types de peinture réside dans sa polyvalence. En effet, depuis les fins lavis au pinceau, dont la transparence évoque l'aquarelle, jusqu'aux empâtements épais au couteau, caractéristiques de la peinture à l'huile, elle se prête à des techniques aussi diverses que les moyens de les appliquer. De plus, sa rapidité de séchage est

▼ L'acrylique permet de travailler avec toutes sortes d'instruments et de techniques.

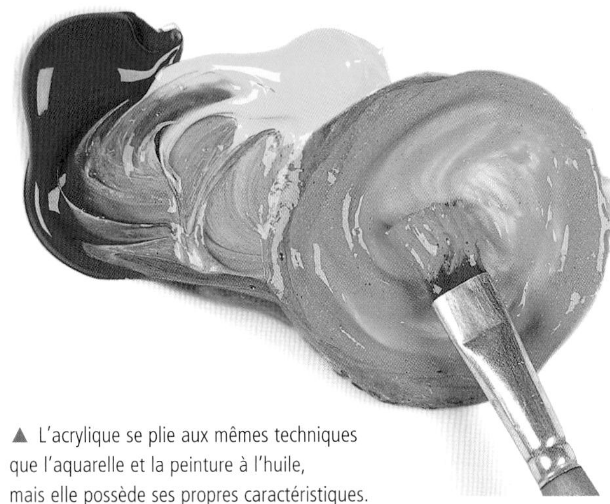

▲ L'acrylique se plie aux mêmes techniques que l'aquarelle et la peinture à l'huile, mais elle possède ses propres caractéristiques.

◀ Après séchage, les touches d'acrylique conservent leur fraîcheur et leurs reliefs.

un atout considérable par rapport aux peintures à l'huile dont le séchage exige plusieurs jours, voire plusieurs semaines, de patience avant de poursuivre le tableau. Comme l'acrylique s'apparente aussi bien à l'aquarelle qu'à l'huile, elle se prête parfaitement aux nombreuses techniques associées à ces deux types de peinture. Elle ne joue cependant pas un simple rôle de substitution, car ses propres caractéristiques donnent lieu à toute une gamme d'effets originaux. Les possibilités offertes par l'acrylique sont encore multipliées par des médiums à peindre conçus pour modifier sa nature et ses propriétés. Enfin, l'acrylique est idéale pour les techniques mixtes et pour les procédés expérimentaux tels que le collage.

Mieux peindre à l'acrylique vous propose de découvrir en détail ce mode d'expression. La première partie vous guidera pas à pas dans le choix du matériel et dans l'apprentissage des techniques avec des instructions claires et précises. Après le chapitre consacré aux techniques, un autre entièrement dédié aux principes de réalisation des tableaux vous fournira de précieux conseils sur le choix des couleurs ou l'élaboration de la composition. Finalement, le dernier chapitre aborde des projets pratiques, depuis

la marine jusqu'à la nature morte en passant par le portrait. Pour chaque projet, les instructions étape par étape sont accompagnées de photographies qui vous permettent d'observer la progression de l'artiste afin de comprendre comment celui-ci a exécuté chaque tableau, de l'ébauche à l'œuvre définitive. Chaque projet traite d'une ou de plusieurs techniques présentées dans la première partie de l'ouvrage et servira d'exemple si vous souhaitez vous entraîner. En les réalisant, vous affirmerez ainsi progressivement votre propre style et affinerez vos goûts.

Une source d'inspiration

Bien que *Mieux peindre l'acrylique* s'adresse d'abord aux débutants ou aux nouveaux venus à l'acrylique, les artistes confirmés y trouveront aussi une mine d'idées nouvelles, notamment pour créer des effets de texture avec des pâtes spéciales enrichies en sable ou en sciure de bois. L'intérêt de l'acrylique réside, entre autres, dans son absence de contrainte ou d'interdit – contrairement à l'aquarelle et à l'huile. Elle invite à l'expérimentation et, quel que soit votre niveau, vous apprendrez au fil des pages à repousser encore les limites de ses possibilités. Possibilités sans cesse accrues, car les fabricants proposent régulièrement de nouveaux médiums destinés à l'acrylique, devançant ou exploitant sans cesse les découvertes des artistes rompus à ses techniques.

▲ L'acrylique est la peinture idéale pour les techniques mixtes et les œuvres expérimentales.

◄ Les artistes qui suivent les méthodes traditionnelles sont toujours surpris par les possibilités offertes par la peinture acrylique.

Galerie d'œuvres

Comme toute création artistique, un tableau à l'acrylique est unique. Donnez le même matériel et le même sujet à plusieurs artistes, et vous obtiendrez des œuvres très différentes, tant sur le plan de la technique que de l'interprétation. Cette galerie couvre un éventail de sujets et de styles qui illustrent l'immense étendue des possibilités de ce type de peinture.

▲ **PERSPECTIVE**

PETER WARDEN

C'est le traitement de la perspective (voir p. 82) qui donne son intérêt à ce sujet de marine au demeurant fort simple. La composition s'articule sur la règle des tiers (voir p. 81) : le ciel, la mer et la jetée occupent chaque fois près du tiers du tableau. L'extrémité circulaire du ponton, surmontée par la balise lumineuse, marque approximativement le premier tiers à partir de la droite du tableau.

▼ **LUMIÈRE ET TON**

MARCO RONGA

La source de lumière (voir p. 86) provient de l'extérieur du tableau, ainsi c'est son reflet sur la table qui paraît éclairer la scène. La femme et son ombre, masse pleine et sombre, accentuent par contraste l'éclat de la lumière. Le séchage rapide de l'acrylique permet d'obtenir l'effet de superposition du fond multicolore. Les touches libres contrastent avec le modelé plus précis des tons chair (voir p. 56).

◀ **EMPÂTEMENTS ET PERSPECTIVES**

STEPHEN RIPPINGTON

La rapidité de séchage de l'acrylique convient à merveille à la technique impressionniste. Ici, l'artiste a modelé le tableau par empâtements (voir p. 42) en posant les touches dans toutes les directions.
La perspective aérienne (voir pp. 82-83) joue aussi un rôle déterminant : les couleurs froides et les tons clairs éloignent les reliefs à l'horizon, tandis que les quelques touches de rouge chaud rapprochent les éléments du premier plan.

▶ COMPOSITION

COLIN FREEMAN

Par superpositions, l'artiste a soigneusement nuancé les touches du fond pour mettre en valeur les couleurs intenses de l'embarcation et de son reflet. Le bateau paraît flotter à la surface de l'eau de manière quasi irréelle. Cette composition semi-abstraite est très élaborée : le regard étant attiré par l'angle supérieur gauche, l'ensemble peut paraître déséquilibré, cependant l'intensité et la largeur du côté droit compensent l'effet pour ramener l'attention du spectateur au centre du tableau (voir p. 80).

▼ COULEUR

MARCO RONGA

Les couleurs presque pures de cette vue panoramique de la ville évoquent une nuit chaude et exotique. L'association de teintes primaires crée un effet à la fois insolite et fascinant. Les bleus soutenus du ciel, plus frais, adoucissent la vibration des teintes chaudes de la ville, apportant à la composition une sérénité inattendue. La palette (voir p. 78) restitue à merveille l'atmosphère du crépuscule sur la ville animée.

▶ MASQUES ET SGRAFFITO

ANDREI SAVICH

Cette nature morte évoque l'imagerie cubiste de Picasso ou Braque. Exploitant plusieurs techniques, l'artiste a travaillé la succession de parallèles du dessus de la table à l'aide de ruban cache (voir p. 50). Pour le fond et la surface des ustensiles, il a appliqué des couches de peinture, qu'il a ensuite grattée et tamponnée au buvard (voir p. 64). Le contraste d'empâtements épais et de lavis plus fins compose une belle harmonie.

◀ EMPÂTEMENTS ET TEXTURES

ADRIAN WESLEY MARTIN

L'artiste a évoqué le paysage d'une ville par des empâtements (voir p. 42). Le séchage rapide de l'acrylique en fait un outil idéal pour cette technique. L'utilisation de gels texturants ou de pâtes de modelage (voir p. 52) permettrait d'accentuer encore les reliefs. Il suffit d'incorporer le gel dans la peinture ou de l'appliquer au préalable et de le laisser sécher avant de poser les couleurs. Ici, L'artiste a ajouté les empâtements, qui ne respectent pas toujours le tracé de l'ébauche, pour introduire des effets de relief.

▶ COULEUR

Ian Sidaway

L'association de couleurs complémentaires – rouge et vert – produit un contraste spectaculaire qui attire l'œil au centre de la fleur. Pour le feuillage, l'artiste a posé un premier lavis vert clair en touches rapides avant de modeler les formes sombres en négatif, avec un jus plus foncé. Les feuilles ressortent alors comme en relief sur le fond d'ombres. Il a ensuite ajouté des touches de blanc qui rehaussent l'ensemble de reflets opaques de lumière. Enfin, il a modelé la fleur en travaillant en touches rayonnantes avec plusieurs nuances composées de rouge de cadmium, d'alizarine cramoisie et de blanc, enrichies de bleu outremer pour les ombres. Les étamines, touches finales qui constituent le centre du sujet, ont été peintes en jaune de cadmium.

◄ **COULEUR ET PERSPECTIVE**

PAUL POWIS

Les couleurs vives animent cette vue panoramique d'une colline provençale et cassent l'alignement presque militaire des rangs d'oliviers. L'artiste a d'abord posé des touches libres de rouge avant d'ajouter la complémentaire, le vert – vert foncé des arbres et des collines à l'horizon – qui augmente l'intensité des deux couleurs. De la même manière, le bleu du ciel contraste vivement avec le brun rouille de la terre. La progression des couleurs chaudes à froides du premier plan vers l'horizon renforce l'impression d'espace, structurée par la perspective linéaire selon laquelle ont été placés les oliviers (voir p. 82), de plus en plus petits.

► **TECHNIQUES OPAQUES ET LAVIS**

TOMOMI MARUYAMA

Dans cette intéressante combinaison de techniques, l'artiste a d'abord posé des jus d'acrylique de coloris différents pour esquisser une première ébauche presque abstraite. Il a ensuite exécuté minutieusement une reproduction graphique simplifiée d'une scène de rue avec des touches de peinture noire opaque.

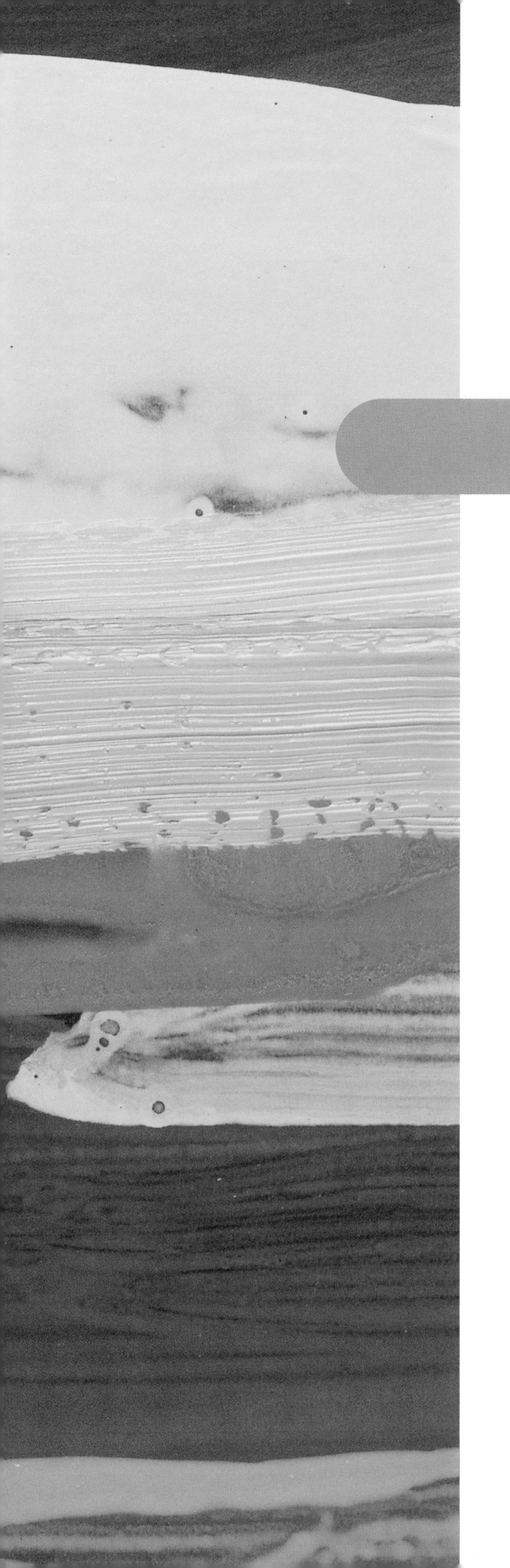

Chapitre 1

Le matériel

Un matériel de qualité ne vous garantit pas la réussite absolue de tous vos tableaux, mais des couleurs et des pinceaux médiocres ne vous apporteront que déception et frustration. La plupart des fournitures vendues dans les boutiques spécialisées en beaux-arts sont fabriquées par des marques qui tiennent à leur renommée, elle-même fondée sur la qualité de leurs produits. D'ailleurs, si vous achetez les couleurs acryliques ou les pinceaux par correspondance ou sur Internet, préférez les marques réputées et ignorez les promotions et autres offres spéciales proposés par des fabricants inconnus.

La peinture acrylique

La qualité de la peinture

Les formules de composition de la peinture acrylique ne varient guère d'une marque à l'autre. Certains fabricants déconseillent de mélanger leurs peintures avec d'autres marques, mais il s'agit vraisemblablement d'un conseil purement commercial, car la plupart des artistes mélangent les marques à volonté sans rencontrer de problème. En fait, l'opération se révèle parfois indispensable pour obtenir certaines nuances. Dans le doute, faites quelques essais.

La peinture acrylique est vendue en tube, en pot ou en flacon en plastique de grande contenance. La consistance varie légèrement d'une marque à l'autre, mais les couleurs en tubes sont généralement plus épaisses que les couleurs en flacon ou en pot.

Il existe deux qualités d'acrylique : pour artistes (fines) et pour études. Si la mention n'est pas toujours portée clairement sur l'étiquette, la distinction peut s'effectuer à partir du prix : il est le même pour toutes les couleurs de la gamme « études », alors que celui des acryliques pour artistes (couleurs fines ou extra-fines) varie en fonction du pigment. Certaines couleurs fines sont ainsi très onéreuses car elles renferment des pigments rares de grande qualité. En revanche, les couleurs pour études, souvent à base de pigments synthétiques, coûtent moins cher mais offrent une palette plus réduite. De plus, comme elles sont souvent épaissies à l'aide d'un pigment inerte comme le sulfate de baryum, elles sont moins pures et moins couvrantes. Elles n'en demeurent pas moins intéressantes pour les esquisses, les études, les travaux préliminaires et les sous-couches.

Les indications sur l'étiquette

Afin de choisir la qualité et les couleurs qui conviennent à votre projet, lisez attentivement les étiquettes.

La première information concerne le nom de la couleur. Nombre d'entre eux, comme « rouge de cadmium » ou « bleu de cobalt », sont universels, mais certains fabricants choisissent des noms moins répandus, notamment lorsqu'il s'agit de créations uniques.

Tous les pigments ont une référence qui renvoie à la nomenclature Colour Index. Ce code, présent sur la plupart des étiquettes, indique les pigments employés

Les peintures acryliques
1 Couleurs acryliques traditionnelles (consistance ferme).
2 Couleurs acryliques fluides (consistance comparable à l'encre).
3 Couleurs acryliques pour étude (généralement fluides).
4 Couleurs acryliques en flacon.

dans la composition des couleurs. Le rouge de cadmium, par exemple, est référencé sous le n° PR108, PR pour pigment rouge. Quelle que soit la marque, la plupart des couleurs ne contiennent qu'un seul pigment et ne varient guère d'une marque à l'autre. Certaines en comptent parfois plusieurs et, dans ce cas, les nuances peuvent varier légèrement d'une marque à l'autre. Si la couleur appartient à une série, l'étiquette mentionne également le numéro de la série. De même, l'étiquette précise parfois la référence de l'excipient, ainsi que le degré de résistance à la lumière (solidité) et d'opacité de la couleur.

Peindre à l'acrylique

L'acrylique est adaptée à toutes les surfaces absorbantes (voir p. 32, *La préparation des supports*), mais ne convient pas aux matériaux imperméables comme le verre ou le plastique, car elle forme en séchant une pellicule qui se détache ou s'abîme aisément. La peinture acrylique s'emploie sous forme épaisse, au sortir du tube, ou diluée avec de l'eau ou un médium. Comme elle sèche assez vite, d'autant plus vite lorsqu'elle est diluée et posée en couches fines, des médiums spéciaux et des additifs (voir p. 22) peuvent en retarder le séchage, voire en modifier les caractéristiques.

Les couleurs de l'acrylique évoluent : elles foncent lorsque l'émulsion laiteuse qui lie les pigments sèche et devient transparente. Cette réaction est un peu déroutante au début, mais vous apprendrez vite à en tenir compte dans vos choix de nuances.

Conseils

Voici quelques conseils pour vous aider à tirer le meilleur parti des acryliques :

- Renouvelez souvent l'eau pour respecter la pureté des couleurs.
- Ne préparez que la quantité de peinture nécessaire : l'acrylique sèche très vite, même sur la palette, et forme une pellicule qui laisse des aspérités dans les applications.
- Refermez soigneusement les bouchons. En contact avec l'air, l'acrylique devient vite inutilisable.

Les palettes

Au sens figuratif, la palette désigne des couleurs employées par l'artiste, mais le terme renvoie aussi à un objet indispensable pour le peintre : le support sur lequel il prépare les couleurs. La palette en bois traditionnelle des peintures à l'huile ne convient pas aux acryliques, car elles s'infiltrent dans la surface poreuse du bois et laissent une marque indélébile. Vous devrez choisir un matériau dur et non poreux, sur lequel l'acrylique formera en séchant une pellicule facile à retirer au moment du nettoyage.

Le matériau de la palette

La palette peut être en céramique, verre, acier inoxydable, plastique, fer émaillé, formica ou contreplaqué. À l'usage, la peinture tache le plastique et le contreplaqué, mais le verre, la céramique ou l'acier inoxydable, une fois nettoyés, retrouvent leur éclat d'origine.
De nombreux artistes se fabriquent une palette à partir de divers objets : casseroles en acier inoxydable, vieilles assiettes, coupelles en verre, etc. ; d'autres la découpent dans du contreplaqué ou du verre. Dans ce dernier cas, veillez à polir les bords tranchants ou à les protéger par des bandes de ruban adhésif épais (type chatterton).
La palette en verre offre un intérêt particulier, car une fois posée sur le support, elle permet d'effectuer les mélanges avec précision en tenant compte, par transparence, de la couleur de base du support.

Les modèles de palette

La palette classique est une surface plane sur laquelle le peintre mélange les pâtes assez épaisses. Toutefois, le modèle conçu pour l'aquarelle, avec des alvéoles pour les mélanges, convient mieux aux jus dilués. La forme des palettes varie depuis le traditionnel haricot ovale avec un trou pour le pouce jusqu'aux modèles carrés ou en marguerite. Quel que soit votre choix, la palette doit être assez grande pour accueillir tous vos essais de mélanges… qui nécessitent énormément de place !
Les peintres utilisent depuis peu de nouvelles palettes. Les modèles jetables, en papier non poreux, sont vendus en blocs pelables. En fin de travail, il suffit de détacher la feuille et de la jeter.
Les palettes humides (« Stay-Wet ») spécialement conçues pour l'acrylique réduisent le gaspillage, car

Modèles de palettes
1 Palette en bois et dérivés
2 Assiettes en carton et en faïence
3 Palette en aluminium
4 Palettes en porcelaine
5 Palette en plastique
6 Palette humide

elles préservent l'humidité de la peinture plus longtemps. Il s'agit d'un plateau en plastique peu profond pourvu d'un couvercle, vendu avec du papier absorbant très épais et du papier semi-perméable plus fin. Placez la feuille de papier absorbant sur le plateau et mouillez-la copieusement. Posez par-dessus la feuille de papier semi-perméable sur laquelle vous mélangerez les couleurs. Humidifiée par l'eau du papier absorbant, la peinture reste souple longtemps. En fin de séance, il suffit de placer le couvercle pour disposer à la prochaine séance – de plusieurs jours à parfois plusieurs semaines – d'une acrylique toujours malléable.

La disposition des couleurs

Le choix des couleurs et leur disposition sur la palette relèvent uniquement de vos préférences. Laissez-vous guider par le sujet et par votre style. Si le nombre de couleurs employées dépend uniquement de vous, quelques règles pratiques vous faciliteront la tâche. En théorie, les trois couleurs primaires (rouge, jaune, bleu) permettent d'obtenir toutes les autres nuances, mais il est plus commode d'élargir la palette de base. Rares sont les artistes qui utilisent moins de huit couleurs de base, et certains optent pour seize et plus.Même si vous n'utilisez pas une gamme de couleurs très étendue, il est préférable de les disposer sur la palette dans un ordre cohérent, par exemple de chaud à froid, ou de clair à foncé. Placez-les toujours dans le même ordre afin de les retrouver sans perdre de temps.

Fabriquer une palette humide

Procurez-vous un plateau peu profond en plastique ou en métal, un morceau de tapis d'irrigation en feutre (utilisé par les jardiniers pour conserver les semis à l'humidité), des feuilles de papier à dessin de même taille et du papier-calque très fin ou du papier sulfurisé. Pour fermer la palette et conserver l'humidité, utilisez du film alimentaire.

1 Mouillez le feutre. Posez le papier à dessin par-dessus. Vous pouvez remplacer le feutre par du papier buvard et vous passer de papier à dessin.

2 Posez le papier-calque ou le papier sulfurisé par-dessus. La palette est prête.

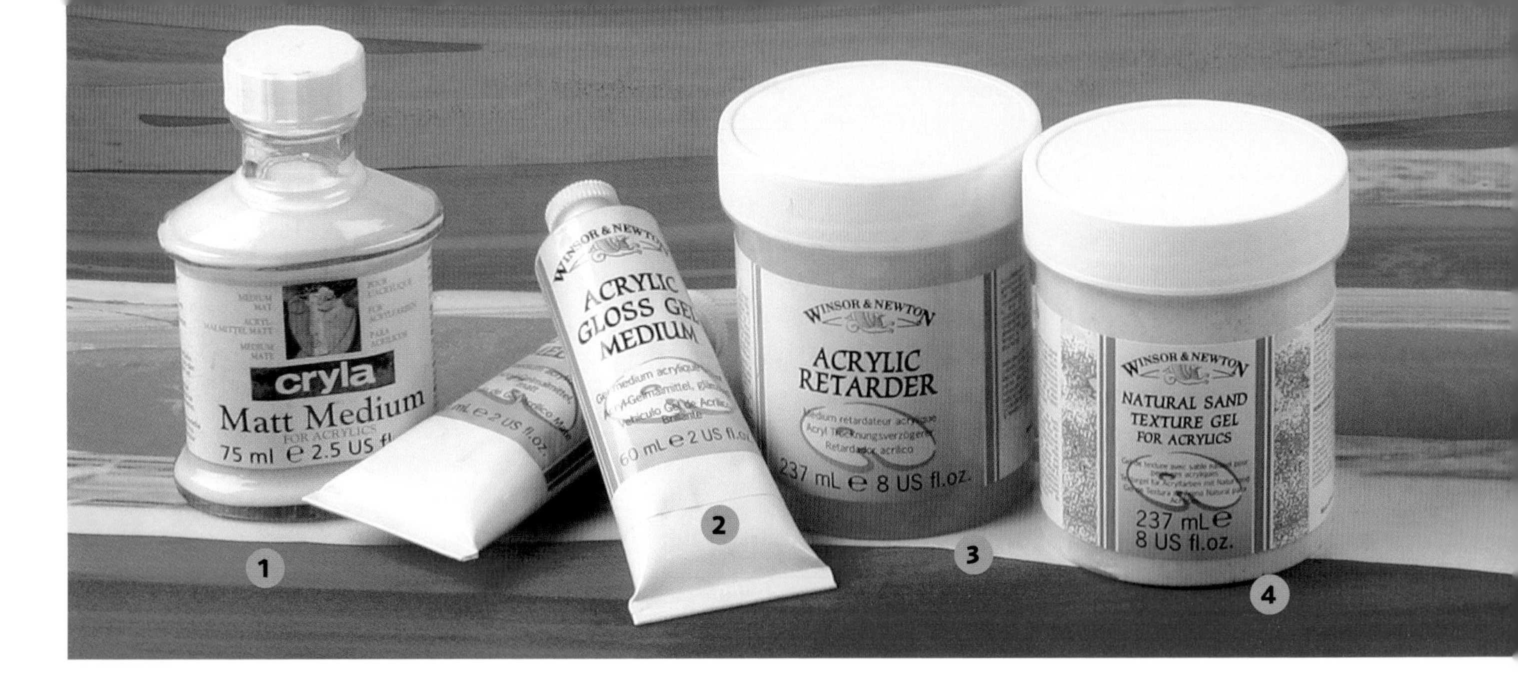

Médium et additifs
1 Médium mat
2 Médium en gel brillant
3 Médium retardateur
4 Gel texturant au sable
5 Pâte de modelage
6 Apprêt au gesso
7 Vernis mat et brillant

Les médiums et les additifs

Bien qu'il soit possible de travailler l'acrylique uniquement avec de l'eau, l'emploi de médiums et d'additifs permet d'en tirer le meilleur parti. En altérant le comportement de la peinture, ils permettent, en effet, de créer toute une gamme de textures et de finitions plus originales les unes que les autres.

Les médiums mats et brillants

Ce sont les additifs les plus répandus, tous deux vendus en flacon. Le médium mat est un liquide laiteux, légèrement visqueux qui, comme son nom l'indique, donne en séchant une finition mate au tableau ; le médium brillant présente le même aspect, mais il rend la finition brillante. Leur mélange crée une surface délicatement satinée. Le médium brillant accentue également la transparence des couleurs, et ses qualités réfléchissantes intensifient les nuances. Vous pouvez également l'employer comme un vernis ordinaire (voir p. 23, *Les apprêts au gesso et les vernis protecteurs*).

Les médiums en gel et les gels structurants

Versions plus épaisses des médiums liquides, les médiums en gel donnent du corps à la peinture acrylique. Mats ou brillants, ils sont vendus en tube et sont précieux pour les empâtements, que vous travailliez au pinceau ou au couteau (voir p. 42 et 44). Le mélange peinture et gel conserve les traces des soies, et il suffit de le travailler pour former des reliefs plus ou moins marqués. Si les gels augmentent le volume de la peinture, ils en accentuent également la transparence, tout en respectant la couleur, ce qui les rend très utiles pour recouvrir de vastes surfaces.

Les retardateurs et les fluidifiants

Tous les additifs allongent plus ou moins le temps de séchage, mais certains sont conçus dans ce but précis. Les retardateurs, liquides ou en gel, se montrent particulièrement utiles pour le travail sur fond humide (voir p. 46) ou pour les fondus de couleurs (voir p. 56). Veillez cependant à respecter les quantités et conformez-vous aux instructions du fabricant.

Les fluidifiants modifient la consistance de l'acrylique pour que la peinture s'étale plus librement sur le support. Ils sont intéressants pour les œuvres sur toile non enduite, sur papier lisse (riche en colle) ou sur papier cartonné. Sur ces surfaces peu absorbantes, la peinture a, en effet, tendance à former des flaques au lieu de s'étaler. Le fluidifiant rend la peinture moins épaisse et facilite le trajet du pinceau, permettant des touches lisses sans marques de soies. Les fluidifiants existent également sous forme de gel, dit « onctueux ».

Les gels texturants et la pâte de modelage

Les gels texturants (voir p. 52) renferment des agrégats – petits grains de pierre ponce, de sable naturel ou synthétique, fines billes de verre, fibres souples, flocons ou petits granulés de céramique.

Les pâtes de modelage sont légèrement différentes. Composées de poussière de marbre, elles forment en séchant une surface dure qu'il est possible de découper ou de sculpter avec des outils manuels ou électriques. En raison de leur poids, il est préférable de les réserver pour des supports rigides. Elles existent aussi en versions plus légères, mais il est possible de réduire leur poids et d'augmenter leur souplesse en incorporant du médium en gel.

Les apprêts au gesso et les vernis protecteurs

L'acrylique peut être directement appliquée sur le papier, la toile ou le bois, cependant il est préférable de préparer les surfaces avec un apprêt pour boucher les pores.

Si vous souhaitez conserver la couleur naturelle du support, appliquez un médium acrylique ; si vous préférez travailler sur une surface blanche, utilisez de l'apprêt acrylique au gesso. Ce produit conçu pour protéger les surfaces n'a rien de commun avec le gesso traditionnel composé de craie et de colle. Les apprêts acryliques au gesso demeurent souples après séchage, et de ce fait s'adaptent aussi bien à la toile, qu'au papier et au bois. Pour obtenir une finition lisse, poncez légèrement la couche de gesso sèche avant de continuer.

Le gesso peut être teinté avec de la peinture acrylique et être appliqué comme couleur de fond. En effet, de nombreux artistes n'aiment guère peindre sur une surface blanche. Si nécessaire, n'hésitez pas à passer plusieurs couches de couleur pour recouvrir le blanc brillant du gesso car, aussi épaisse soit-elle, la peinture acrylique n'est pas totalement opaque.

Il existe également du gesso dur, non flexible.

Une couche de vernis viendra parfois recouvrir l'ensemble afin de protéger le tableau des frottements ou de la pollution de l'air. Certains vernis acryliques peuvent être retirés par la suite, mais pas tous ; par conséquent, comme avec tous les médiums et les additifs, lisez soigneusement les instructions du fabricant avant de commencer.

Les pinceaux

Tous les pinceaux habituels de l'aquarelle et l'huile conviennent à l'acrylique. Le choix dépend essentiellement de votre style. Plusieurs fabricants proposent aussi des pinceaux spécialement conçus pour l'acrylique.

Modèles de soies
1 Fibres synthétiques
2 Soies de mangouste synthétiques
3 Soies de porc
4 Crin de cheval

Forme des soies
5 Ronde
6 Plate
7 Usée bombée
8 Éventail
9 À filet

Les soies des pinceaux

Les soies des pinceaux sont en fibres naturelles, synthétiques ou un mélange des deux. Parmi les fibres naturelles, citons les soies de porc, les poils de martre, de bœuf, d'écureuil, de mangouste, de chèvre e t de blaireau ; les fibres synthétiques se composent de filaments de nylon ou de polyester.Les pinceaux en soies naturelles et souples sont jugés de meilleure qualité que les brosses en fibres synthétiques, notamment parce qu'ils retiennent et libèrent mieux la peinture. Les soies naturelles sont, en effet, recouvertes de minuscules écailles qui retiennent la peinture, et les poils sont naturellement effilés. Les soies de porc, qui entrent dans la fabrication de pinceaux de qualité pour les huiles, sont fendues à l'extrémité. Ces pinceaux retiennent particulièrement bien les peintures de consistance crémeuse.
C'est également le cas des pinceaux en poils de martre, à la fois souples et nerveux. Cependant des progrès récents ont permis de produire de nombreux modèles en fibres synthétiques qui possèdent les mêmes qualités que les soies naturelles et se montrent tout aussi résistants.

La forme des soies

Vous trouverez dans le commerce des centaines de modèles de pinceaux et de brosses en soies naturelles ou synthétiques, mais tous appartiennent à l'une des catégories suivantes : ronde, plate, usée bombée, en éventail ou à filet. Proposés dans de nombreuses tailles, les pinceaux ne présentent que de légères différences de forme au sein d'une même catégorie.
Pinceaux ronds : la touffe de soies se termine en pointe, après avoir formé un véritable dôme sur les grands modèles. Ces pinceaux, qui retiennent une importante quantité de peinture, sont parfaits pour les touches texturées et les reliefs, ou pour appliquer de grandes plages de couleur fluide. Les modèles fins servent plutôt à ajouter les détails ou les tracés linéaires lors de la finition du tableau.
Pinceaux plats : les pinceaux plats délivrent la peinture avec davantage de précision. Ils servent également à poser de grands aplats de couleur ou à modeler des empâtements en petites touches courtes, carrées ou rectangulaires. Vous les utiliserez aussi pour

fondre les couleurs (voir p. 56) ou pour appliquer les plages de couleur au départ. Les touches déposées avec le côté sont fines et précises. Les modèles à soies courtes – dits « plats courts-carrés » – offrent moins de souplesse, mais se révèlent très utiles pour les travaux de précision.
Pinceaux usés bombés : il s'agit de pinceaux plats dont la touffe s'amincit progressivement, un peu comme si les soies étaient usées. Très polyvalents, ils peuvent être, comme les pinceaux plats, utilisés sur le côté pour tracer les détails fins ou, sur le plat, pour former des touches plus larges.
Pinceaux éventail : ils sont conçus pour un seul usage – estomper les couleurs lorsqu'on travaille sur fond humide –, mais ils créent également des effets de texture ou évoquent parfaitement les feuillages dans les paysages. Vous les retrouverez aussi dans les techniques au pinceau sec (voir p. 93, étape 9 des Bateaux de pêche).
Pinceaux à filet : ces pinceaux à longue touffe fine de soies ont été mis au point pour peindre le gréement des voiliers ; ils donnent des touches très fines et régulières.

L'entretien des pinceaux

Ne serait-ce que parce qu'ils séjournent souvent dans l'eau pour ralentir le séchage de la peinture, les pinceaux employés pour l'acrylique ont tendance à s'abîmer plus vite que les autres. Nettoyez-les avec soin et essuyez-les longuement avant de les ranger. Entreposez-les ensuite, soies vers le haut, dans un bocal ou un récipient assez haut. Vous trouverez d'autres conseils dans l'encadré ci-contre.

L'entretien des pinceaux

Parce que l'acrylique sèche vite, il faut que les soies restent humides pendant toute la séance. Pour autant les pinceaux ne doivent pas séjourner tête en bas dans un gobelet d'eau pendant de longues périodes, car les soies finiraient par s'écarter. Certaines palettes disposent d'un compartiment spécial pour les pinceaux, mais il suffit de les conserver à plat dans une coupelle remplie d'eau.

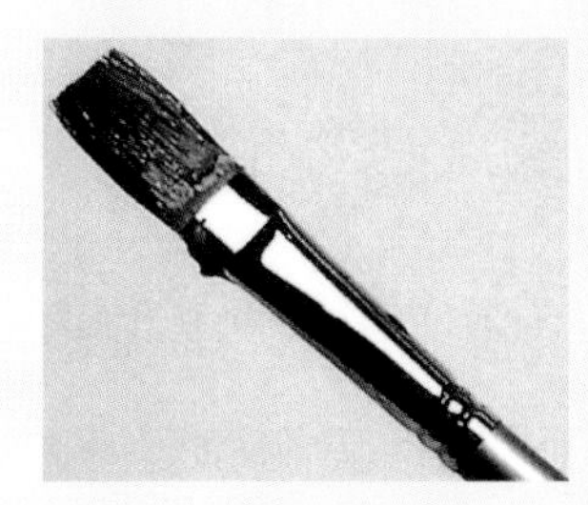

Nettoyez régulièrement le tour de la virole et les soies des résidus de peinture épaisse ou sèche.

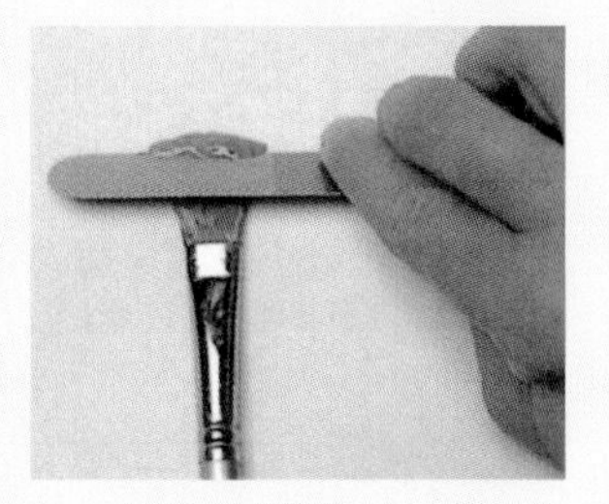

Avant de glisser le pinceau dans l'eau, retirez l'excédent de peinture au couteau à palette.

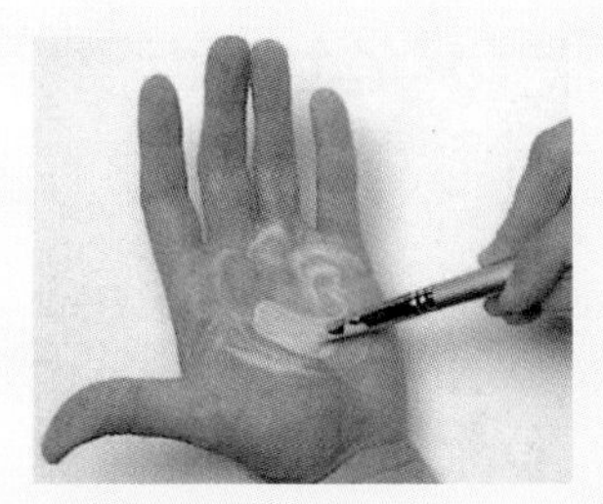

Nettoyez le pinceau en le rinçant dans l'eau chaude et frottez les soies dans la paume de la main avec du savon.

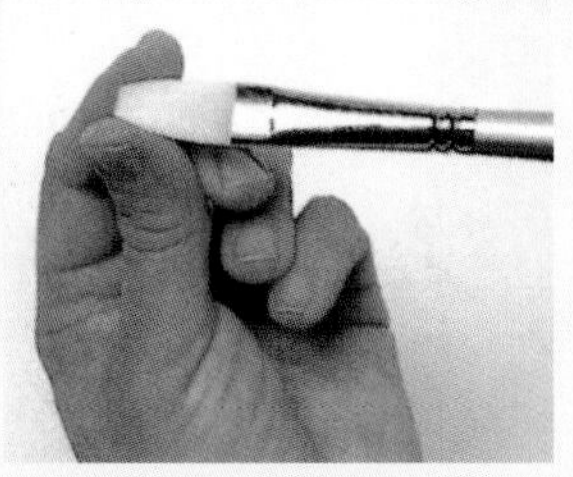

Si les soies s'écartent, humidifiez-les avant de les lisser soigneusement entre le pouce et l'index.

Les supports

La peinture acrylique s'adapte à toute surface absorbante et non grasse. La graisse repousse la peinture à l'eau, c'est la raison pour laquelle acrylique et peinture à l'huile ne peuvent être associées. Par ailleurs, l'aspect de la surface détermine non seulement le choix des techniques mais aussi le style du tableau, vous devez donc sélectionner soigneusement votre support en fonction de vos objectifs.

Le papier et le papier cartonné

L'acrylique permet de peindre sur tous les types de papier à dessin, cartonné ou non, et aussi sur d'autres supports comme le papier peint, le kraft ou le carton d'emballage. Ces derniers s'abîment et se décolorent au fil du temps, mais ils conviennent très bien aux études préliminaires et ou à des travaux plus expérimentaux.
Pour les lavis (voir p. 36), c'est le papier à aquarelle qui s'impose. Il existe en trois catégories de finition : ultra-lisse (pressé à chaud) ; lisse mais présentant suffisamment d'aspérités pour accrocher la peinture (pressé à froid) ; et rugueux à grain marqué. Tous sont disponibles dans différentes épaisseurs ou grammages (c'est-à-dire le poids d'une rame de papier : 250 g à 600 g, etc.).
Vous pouvez peindre directement sur le papier ou bien le protéger et le rendre moins poreux en appliquant une couche d'apprêt (voir p. 23, *Les apprêts au gesso et les vernis protecteurs* et p. 32, *La préparation des supports*). Si vous n'enduisez pas le papier, la peinture aura tendance à pénétrer entre les fibres, évoquant davantage l'aquarelle traditionnelle.
Si vous enduisez la surface d'une couche de médium acrylique ou d'apprêt au gesso, la peinture s'étalera mieux en surface sans pénétrer, et les couleurs paraîtront plus vives. Le tracé du pinceau gagnera en fluidité et le séchage sera moins rapide. Les jus abondamment dilués avec de l'eau risquent de former des flaques sur une surface enduite, il est donc préférable d'utiliser un médium fluidifiant (voir p. 22).
Le papier destiné spécifiquement à l'acrylique convient aussi bien aux empâtements qu'aux fins lavis. Il offre une surface texturée rappelant la trame de la toile. Il est vendu en blocs de feuilles à détacher.

Papier et papier cartonné
1 Carton, papier peint et enveloppes
2 Papier à aquarelle pressé à chaud
3 Papier à aquarelle pressé à froid
4 Papier à aquarelle à gros grain

Essayez également le papier à pastel, légèrement texturé et proposé en plusieurs coloris. Attention : tendez tous les papiers assez fins avant de peindre pour éviter qu'ils ne se gondolent et ne se rident sous l'effet de l'humidité des jus dilués de peinture.

Le bois et ses dérivés

Le bois et ses dérivés tels que le contreplaqué, l'aggloméré ou le MDF (panneaux de fibres de moyenne densité) constituent d'excellents supports pour les tableaux à l'acrylique. Le contreplaqué offre un grain serré très intéressant. L'aggloméré et le MDF présentent une surface lisse et le MDF, vendu dans des épaisseurs différentes, s'adapte aussi bien à un travail en intérieur qu'en extérieur. Tous deux sont également faciles à découper au format voulu. Vous devrez cependant les enduire d'apprêt au gesso ou de médium acrylique légèrement dilué pour mettre en valeur leur couleur naturelle. Poncez l'aggloméré avec du papier de verre avant de l'enduire afin d'éliminer le brillant de la surface dure. Pour donner aux panneaux une surface texturée, appliquez du gel texturant ou de la pâte de modelage (voir p. 22) ou bien recouvrez-les de toile à peindre ou d'une autre étoffe en suivant la technique du marouflage (voir p. 32, *La préparation des supports*).

La toile

En peinture, le terme désigne essentiellement du coton ou du lin. Le lin est plus onéreux que le coton. Les deux matériaux sont disponibles dans diverses épaisseurs et finitions ; plus la toile est épaisse, plus la trame est marquée.

Le coton possède un coloris blanc crème pâle, tandis que la couleur naturelle du lin tire vers le brun ou l'ocre, teintes que nombre d'artistes exploitent comme couleur de fond. Au lieu de recouvrir la toile de gesso, ils se contentent de l'enduire de médium transparent pour la rendre moins absorbante. Dans le commerce, vous trouverez des toiles montées sur châssis (en coton ou en lin) et prêtes à l'emploi. Toutefois, il est plus économique de tendre soi-même les toiles (voir p. 32), notamment si vous travaillez sur de grands formats. Vous pouvez utiliser toutes sortes d'étoffes, depuis les draps en percale jusqu'aux étamines à beurre et même certains mélanges coton/polyester. Cependant, il est préférable de maroufler les toiles qui sont trop fines pour être montées sur châssis (voir p. 32).

Toiles et supports
5 Bloc de papier à acrylique
6 Papier à pastel
7 Toile brute
8 Toile de lin enduite
9 Toile montée sur châssis enduite pour l'acrylique
10 Fibres de moyenne densité (MDF)
11 Toile tendue et enduite

Les accessoires

Il suffit de quelques pinceaux, d'une palette et de couleurs pour peindre à l'acrylique. Toutefois, au fil de vos progrès, vous aurez certainement envie de compléter votre panoplie avec des accessoires plus spécifiques ou plus originaux. Les couteaux permettent, par exemple, de modeler de beaux effets de matière, soit pour remplacer les pinceaux, soit pour en compléter les touches. Ils sont d'ailleurs mieux adaptés à l'acrylique que les pinceaux lorsqu'il s'agit de réussir des empâtements en utilisant l'acrylique au sortir du tube ou en l'enrichissant avec des pâtes texturantes.

Les couteaux à palette et les couteaux à peindre

Tous les couteaux se composent d'un manche en bois et d'une lame souple en acier inoxydable, mais les couteaux à palette ne sont pas destinés au même usage que les couteaux à peindre. La lame allongée des couteaux à palette, en forme de spatule, est conçue pour mélanger les couleurs sur la palette ou pour gratter les touches de peinture à corriger. Elle peut servir à appliquer la peinture sur le support, mais elle ne convient vraiment qu'aux vastes aplats de couleur. La lame des couteaux à peindre, plus flexible et plus sensible, permet de réussir une grande variété de touches. Contrairement aux couteaux à palette, dont la lame se prolonge dans l'alignement du manche, la lame des couteaux à peindre est décalée par rapport au manche. Ainsi, la main ne touche pas le tableau lorsque vous travaillez avec le plat de la lame sur la surface.

Tous ces couteaux existent en diverses formes et tailles, et chacun produit une touche différente. Pour profiter au mieux de leurs effets, vous devrez acquérir plusieurs modèles, comme vous le feriez pour des pinceaux. Toutefois, avant d'investir dans ces ustensiles relativement onéreux, faites des essais avec des modèles en plastique. Moins chers, ils n'offrent pas une gamme aussi étendue et ne durent pas aussi longtemps que les couteaux en acier, mais ils vous permettront de faire votre choix. Dans tous les cas, nettoyez soigneusement les lames après usage afin que la peinture sèche ne vienne pas gâcher la touche. Pour retirer la peinture sèche, grattez à l'aide d'un couteau aiguisé ou trempez la lame dans du décapant (à éviter avec les couteaux en plastique qui n'y résisteraient pas).

Ustensiles pour appliquer la peinture
1 Couteau à palette en plastique
2 Couteau à palette
3 Couteau à peindre
4 Colour Shaper
5 Colour Shaper
6 Brosse à décor
7 Rouleaux en mousse
8 Éponges naturelles et synthétiques

Les Colour Shapers et les ustensiles de décorateur

Les Colour Shapers sont des innovations relativement récentes. Ils se différencient des pinceaux classiques par leur extrémité formée d'une pointe en caoutchouc souple à la place des soies. Ils peuvent être fermes ou souples, de différentes formes (concave, conique, biseauté, etc.) et laissent tout un éventail d'empreintes.
Leur manipulation s'apparente à celle des pinceaux, mais leurs touches évoquent plutôt le travail du couteau. Très faciles à nettoyer, ils sont de surcroît exceptionnellement résistants.
Afin de varier vos touches et de rendre votre travail plus expressif ou plus personnel, n'hésitez pas à employer d'autres outils : éponges, pinceaux en mousse, rouleaux, spatules, etc. La peinture acrylique peut être appliquée avec toutes sortes d'ustensiles. Pensez aussi à découper des languettes de papier cartonné ou à utiliser des baguettes en bois fin que vous manipulerez comme des couteaux à peindre.

Les chevalets

Vous pouvez bien entendu peindre à plat sur le plan de travail ou incliner le tableau contre un support, toutefois le chevalet offre une position bien plus confortable. Il se décline en différents modèles plus ou moins adaptés à votre méthode et vos habitudes, notamment si vous peignez plutôt à l'intérieur ou à l'extérieur.
Les chevalets sont classés en trois catégories : chevalets de table, d'atelier ou de campagne. Les chevalets de table conviennent uniquement aux petits formats ou aux techniques apparentées à l'aquarelle.
Vous pouvez maintenir le tableau à la verticale ou légèrement incliné. Les chevalets de campagne, destinés à la peinture en plein air, sont légers et pliables. Ils prennent tous les angles d'inclinaison voulus. S'ils peuvent être utilisés à l'intérieur, leur stabilité n'est pas toujours garantie pour les grands formats. Dans ce cas précis, préférez un chevalet d'atelier, sur cadre en H ou cadre en A. Les seconds sont généralement plus petits que les premiers, qui peuvent supporter n'importe quel format. Réglables tous deux, ils permettent de placer le tableau à la hauteur la plus confortable, grâce à la présence de divers mécanismes (verrous, clefs, glissières ou poignées).

Chevalets
1 Chevalet de campagne
2 Chevalet d'atelier
3 Chevalet de table

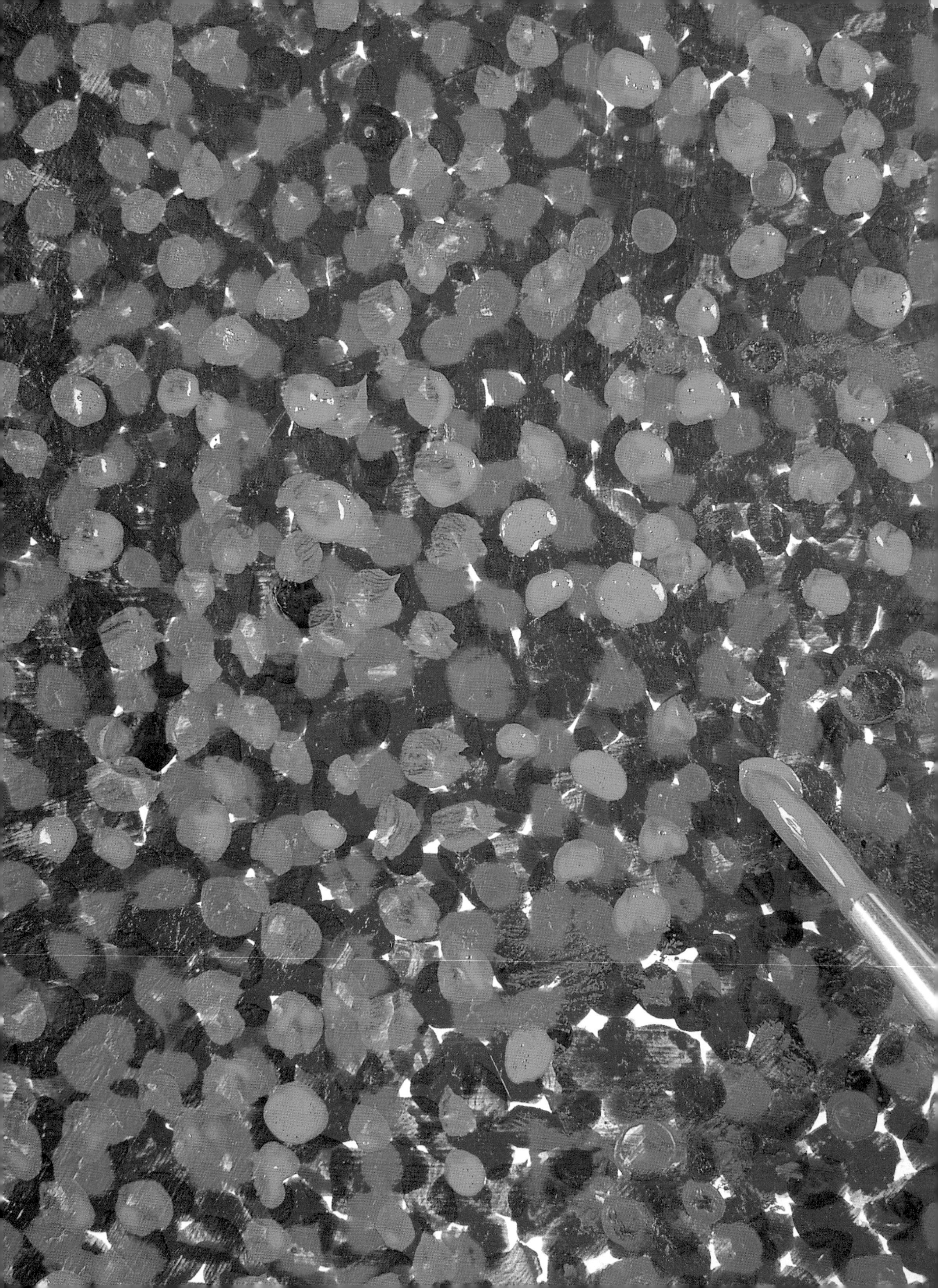

Chapitre 2

Les techniques

L'art de la peinture à l'acrylique emprunte à la fois aux traditions de la peinture à l'huile et de l'aquarelle. Le peintre à l'acrylique dispose donc d'un choix de techniques extrêmement vaste. À mesure qu'ils explorent les possibilités de ce nouveau moyen d'expression, les artistes inventent sans cesse de nouveaux gestes. Vous trouverez dans ce chapitre un panorama des techniques adaptées à l'acrylique, avec des instructions décomposées par étape et illustrées par des photographies en couleurs. Après en avoir fait l'apprentissage, vous pourrez les appliquer en reproduisant les projets proposés dans le dernier chapitre.

La préparation des supports

Matériel

Préparation des toiles
Toile
4 baguettes en bois biseautées aux extrémités
Mètre ruban
Ciseaux
Agrafeuse de tapissier
Pinceau plat à décor
Apprêt acrylique au gesso

Marouflage
Panneau en bois ou en MDF
Toile brute
Ciseaux
Pinceau plat à décor
Médium acrylique mat
Apprêt acrylique au gesso

Préparation des supports enduits de gesso
Panneau en aggloméré
Papier de verre
Pinceau plat à décor
Apprêt acrylique au gesso
Eau

La qualité exceptionnelle de la peinture acrylique - qui devient indélébile après séchage - permet de peindre sur pratiquement toutes les surfaces. Les supports les plus répandus, et les plus appréciés, sont le papier, le carton, la toile, les panneaux en bois et en aggloméré. En règle générale, les matériaux les plus absorbants - notamment les toiles et les agglomérés - nécessitent l'application d'une sous-couche protectrice. Le papier, quant à lui, ne demande aucun apprêt, mais il peut aussi être enduit pour limiter la pénétration de la peinture. Par ailleurs, vous trouverez dans le commerce des toiles et des panneaux enduits, mais il est très facile - et plus économique - de les enduire soi-même. Cette option permet en outre d'élargir considérablement le choix de surfaces, de formes et de formats sur lesquels vous pourrez exprimer votre talent.
En ce qui concerne la toile fine, il faut la monter sur un support rigide en la « marouflant ». Il s'agit tout simplement de la coller avec du médium acrylique, un excellent adhésif, sur un panneau en bois dur ou en MDF (fibres de bois de moyenne densité).

Tendre les toiles

1 Assemblez les quatre baguettes en bois pour former le cadre rectangulaire. Posez le cadre sur l'envers de la toile, au centre. Coupez la toile à environ 5 cm des bords du cadre.

Vérifiez que les deux diagonales mesurent bien la même longueur afin de contrôler la régularité du cadre.

2 Rabattez le bord de la toile sur le cadre en formant des plis nets à chaque angle. Agrafez tous les 15 cm en espaçant régulièrement les agrafes. La toile doit être tendue et plane. Sur les très grands formats, vous pouvez agrafer la toile directement sur l'endroit du cadre.

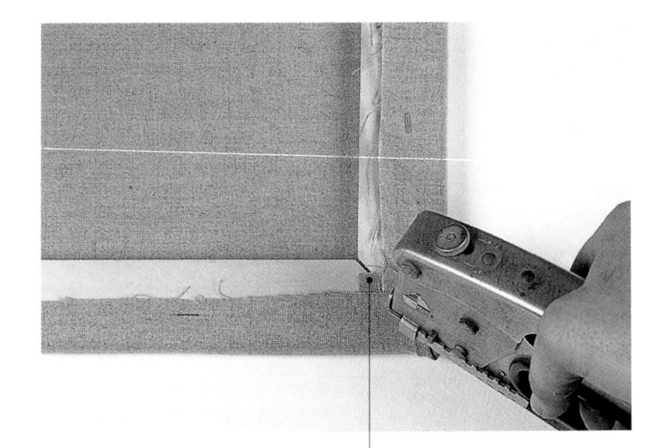

Évitez de poser des agrafes sur les plis correspondant aux jointures du bois, car vous ne pourriez pas glisser de cales entre les deux baguettes afin de les écarter pour retendre la toile.

3 Retournez la toile et enduisez-la d'apprêt acrylique au gesso en prévoyant plusieurs couches (la toile est très absorbante). Pour en faciliter l'application, diluez le gesso avec un peu d'eau. Laissez soigneusement sécher chaque couche avant d'appliquer la suivante.

Si vous préférez peindre sur la toile brute, appliquez néanmoins une couche de médium acrylique mat, dilué avec de l'eau, pour éviter que la peinture ne pénètre trop.

Le marouflage

1 La toile marouflée sur panneau offre une surface plus rigide que la toile tendue. Posez le panneau (bois dur ou MDF) sur le morceau de toile. Découpez la toile en laissant un bord assez large tout autour du panneau.

Le rebord doit être assez large pour vous permettre de rabattre et de fixer la toile au panneau.

2 Recouvrez généreusement la surface du panneau de médium mat en travaillant avec un pinceau ferme en soies de porc. Posez la toile sur le panneau et appliquez une autre couche de médium mat, cette fois, directement sur la toile pour la faire adhérer.

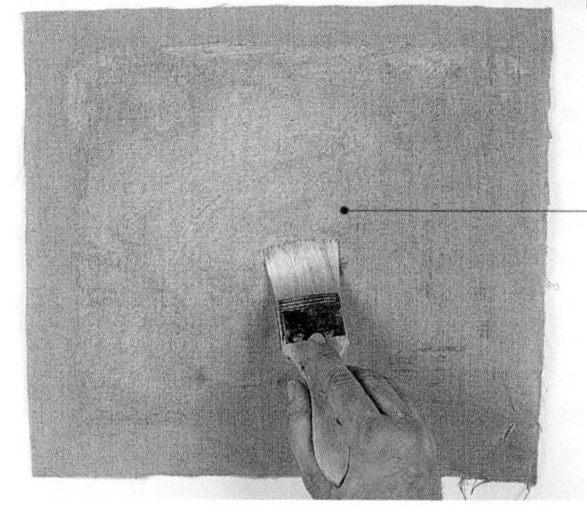

Appliquez le médium en éliminant les bulles d'air au fur et à mesure.

3 Placez le panneau, encore humide, à l'envers sur une surface propre, non absorbante et facile à nettoyer. Coupez les coins de la toile en biseau et rabattez les bords. Faites-les adhérer au dos du panneau en appuyant bien. Laissez sécher. Vous pouvez terminer par une couche d'apprêt acrylique au gesso.

Travaillez rapidement de manière à ce que la face humide du panneau n'adhère pas à la surface du plan de travail.

Les enduits au gesso

Si vous préférez les surfaces lisses, vous travaillerez sans doute directement sur des panneaux en bois. Dans ce cas, enduisez-les préalablement de trois ou quatre couches d'apprêt acrylique au gesso.

Laissez sécher et poncez légèrement chaque couche de gesso avant d'appliquer la suivante. Vous obtiendrez une surface lisse et dure, sans marques apparentes de pinceau.

La préparation des couleurs

Matériel

- Palette
- Peinture acrylique
- Pinceau plat en soies de porc
- Couteau à palette
- Petit récipient pour les mélanges
- Médium à peindre
- Eau

La peinture acrylique est vendue en flacon ou en tube (et dans ce cas, sa consistance est légèrement plus épaisse). Quel que soit le modèle ou la marque que vous choisirez, et l'éventail des nuances proposées, vous aurez besoin d'une palette pour préparer vos propres couleurs. Elle doit présenter une surface plane et non absorbante, avec ou sans alvéoles. Une plaque de verre ou de plastique fera parfaitement l'affaire. Si vous travaillez avec de l'acrylique très diluée, procurez-vous plutôt une palette à alvéoles ou, pour les grandes quantités, un assortiment de coupelles ou de récipients peu profonds : les gobelets en plastique ou en papier se révèlent très pratiques, de même que les pots à yaourt, les canettes en aluminium ou les bocaux en verre. Recouvrez la peinture non utilisée avec du film plastique pour éviter qu'elle ne sèche.

Le choix des couleurs

Vous disposerez les couleurs sur la palette en fonction de vos préférences, mais leur ordre doit obéir à une progression logique. Ici, l'artiste a regroupé les couleurs par teinte sur une palette en plastique blanc. Il a séparé le blanc afin d'en préserver toute la pureté.

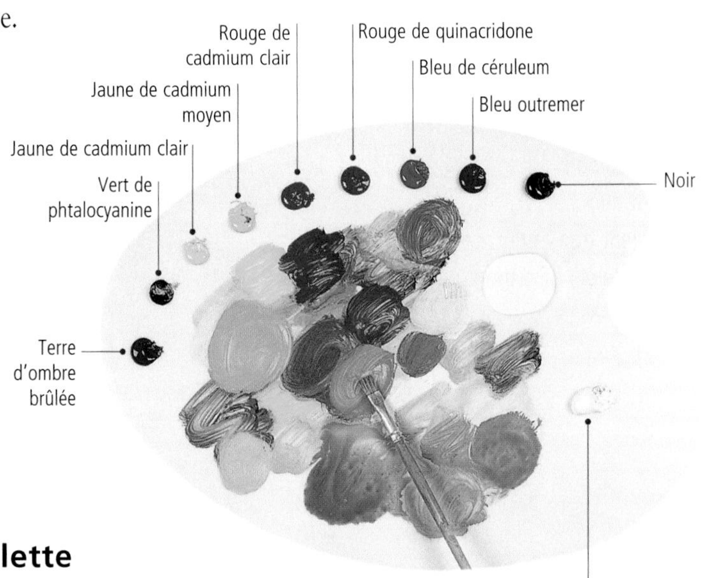

Les mélanges au couteau à palette

1 Il existe plusieurs manières de mélanger les couleurs. Pour les empâtements épais, il est recommandé de préparer de grandes quantités de peinture épaisse avec le couteau à palette (ou couteau à mélanger) en travaillant directement sur la palette.

Le couteau à palette doit être d'une propreté parfaite afin de ne pas modifier la nuance du mélange.

2 Mélangez les couleurs en repliant la pâte sur elle-même de manière à obtenir une couleur homogène. Afin d'éviter que la couleur ne se répande sur la palette, ramenez la pâte vers le centre à l'aide de la lame du couteau. Étalez légèrement la pâte de façon à vérifier l'homogénéité du mélange, à moins que vous ne souhaitiez obtenir un effet marbré.

Préparez suffisamment de peinture pour toute l'opération. Il sera difficile, voire impossible, de retrouver exactement la même nuance par la suite.

Les petites quantités de couleur

1 Pour les petites quantités, utilisez le pinceau. Ajoutez progressivement la couleur la plus soutenue ou la plus foncée dans la couleur claire ou de moindre intensité.

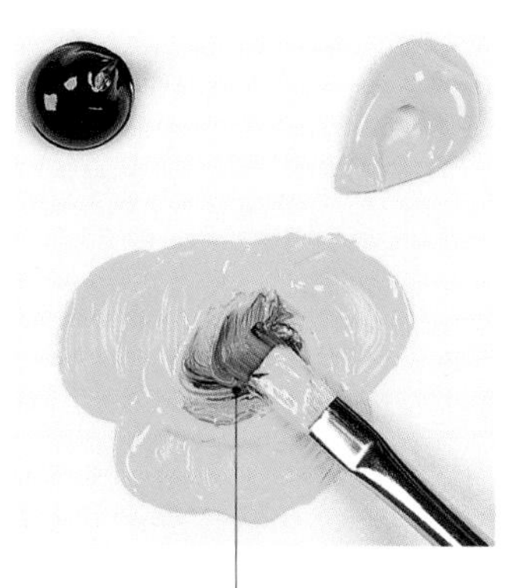

Ajoutez par exemple une goutte de vert foncé dans le jaune clair.

2 Continuez à ajouter la couleur jusqu'à obtention de la nuance voulue. Pour terminer, incorporez le médium ou l'eau pour donner à la pâte la consistance désirée.

Mélangez les couleurs de manière homogène pour éviter des traces qui produiraient un effet marbré sur le tableau.

De la couleur humide à la couleur sèche

L'acrylique renferme un médium blanc laiteux qui fait paraître les couleurs plus claires lorsqu'elles sont humides. En séchant, le médium devient transparent et la couleur plus intense et légèrement plus foncée. Vous devrez en tenir compte lorsque vous préparerez votre palette.

Avec l'expérience, vous saurez exactement quelle nuance et quelle tonalité la couleur que vous préparez adoptera en séchant. Vous apprendrez ainsi à préparer des couleurs légèrement plus claires que celles dont vous avez besoin.

Pour obtenir un mélange lisse

1 Lorsque vous préparez de grandes quantités de couleur relativement fluide, il faut veiller tout particulièrement à l'homogénéité du mélange. Ne versez pas la peinture au sortir du tube dans un récipient rempli d'eau (ou d'eau et de médium) : ajoutez plutôt progressivement l'eau à la peinture en remuant énergiquement.

Mélangez soigneusement les pigments avant d'ajouter de l'eau ou un autre médium.

2 Incorporez progressivement de l'eau et/ou du médium à la couleur obtenue en remuant longuement.

L'eau et le médium donnent du volume à la peinture, mais ils ont également tendance à rabattre la couleur.

Les lavis

Matériel

Peinture acrylique
Papier à aquarelle
Pinceau aquarelle à lavis
Palette à alvéoles
Eau

Diluée avec de l'eau ou avec un médium adapté, l'acrylique donne un jus transparent qui évoque l'aquarelle et permet, tout comme elle, de composer de superbes effets en superposant simplement les lavis. Toutefois, n'oubliez pas qu'en séchant l'acrylique devient insoluble à l'eau et qu'elle ne permet plus d'exploiter les techniques de l'aquarelle pour estomper ou étaler les couleurs. N'utilisez pas de blanc car, comme pour l'aquarelle, c'est le blanc du papier qui permet d'éclaircir les tons. Si vous ajoutez du blanc dans les jus d'acrylique, vous obtiendrez de la gouache, version opaque de l'aquarelle.

Les lavis uniformes

1 Préparez un jus dilué de couleur en ajoutant beaucoup d'eau dans le pigment. Si vous abordez une grande surface, un ciel par exemple, préparez suffisamment de jus pour la recouvrir entièrement en une seule fois. Si vous vous interrompez en cours de travail, les premières touches laisseront en séchant des marques indélébiles. Chargez le pinceau de jus et posez une première bande de couleur sur toute la largeur du tableau.

Inclinez légèrement le support afin que la peinture coule vers le bas des bandes.

2 Dans les jus dilués, les pigments ont tendance à former des coulures au bas de chaque touche. Pour la bande suivante, passez le pinceau à cheval sur la bande précédente afin d'étaler les coulures. Continuez de la sorte pour obtenir une surface uniforme, sans trace visible. Si nécessaire, chargez de nouveau le pinceau après chaque bande.

Ne repassez pas sur les bandes : le pinceau laisserait des traces visibles.

3 En fin de lavis, effacez la coulure de la dernière bande en passant un pinceau sec en touche légère et régulière sur toute la largeur de façon à prélever la peinture en excédent.

Vous pouvez également laisser la marque telle quelle, si vous souhaitez que la couleur du bord soit plus soutenue.

Les lavis dégradés

1 En mélangeant la couleur (jaune) avec suffisamment d'eau, vous obtiendrez un jus très dilué qui, une fois appliqué en lavis, laissera transparaître le blanc du papier et donnera une nuance très pâle. Pour foncer la couleur, il vous suffira d'ajouter du pigment et pour l'éclaircir, de l'eau.

N'oubliez jamais qu'il est impossible de retirer ou d'éclaircir l'acrylique sèche avec de l'eau.

2 Laissez sécher le premier lavis et repassez dessus avec des lavis plus transparents (plus dilués) afin de modifier et d'intensifier le précédent. Cette technique de travail sur fond sec donne un résultat précis et assez soutenu.

Appliquez un second lavis de la même couleur sur le premier lavis sec afin d'intensifier la couleur et de foncer le ton sans altérer la nuance.

Les lavis de plusieurs couleurs

La superposition de lavis de coloris différents produit des nuances plus complexes et plus vives. Les couleurs se mélangent, en effet, non physiquement mais visuellement (voir aussi p. 34).

Plus les couches sont nombreuses, plus la couleur risque d'être sourde. Pour qu'elle reste vive, ne superposez pas plus de trois lavis.

Les lavis sur fond humide

Lorsqu'on travaille sur fond humide (voir p. 46), les couleurs se mêlent pour donner sur le tableau des dégradés de couleur plus progressifs ; l'ensemble adopte alors un aspect vaporeux. Souvent, un même tableau associe techniques sur fond humide et sur fond sec.

Le travail sur fond humide exige un grand soin pour ne pas donner des couleurs ternes et boueuses.

Les glacis

Matériel

- Peinture acrylique
- Pinceau plat en soies de porc
- Médium mat ou brillant
- Eau

Le glacis fait partie des nombreuses techniques que l'acrylique emprunte à la peinture à l'huile. Il s'agit de superposer des voiles de couleur transparents de manière à ce que chaque couche modifie la précédente et donne davantage de profondeur aux aplats. Le glacis s'apparente à la technique du lavis à l'aquarelle, à la différence qu'il permet de travailler avec des couleurs opaques et que les pigments sont dilués avec du médium plutôt qu'avec de l'eau. Laissez bien sécher chaque couche avant d'appliquer la suivante et n'hésitez pas à superposer les glacis - la couleur ne perd son brillant qu'après plusieurs couches. Les premiers peintres à l'huile posaient les glacis sur un fond monochrome qui définissait la composition tonale, une astuce précieuse à reprendre avec l'acrylique. Le glacis est souvent associé à la richesse des couleurs, mais il sert aussi à les assourdir ou à les rabattre lorsqu'elles sont trop vives, et ce sans altérer leur nuance de manière substantielle.

Le glacis sur aplat de couleur

1 La couleur de base peut être aussi épaisse que vous le souhaitez, mais généralement il est préférable de travailler du clair vers le foncé. Comme avec l'aquarelle, plus les premières couches sont lumineuses, plus la couleur finale sera vive. Ne commencez pas par des aplats trop intenses ou trop foncés.

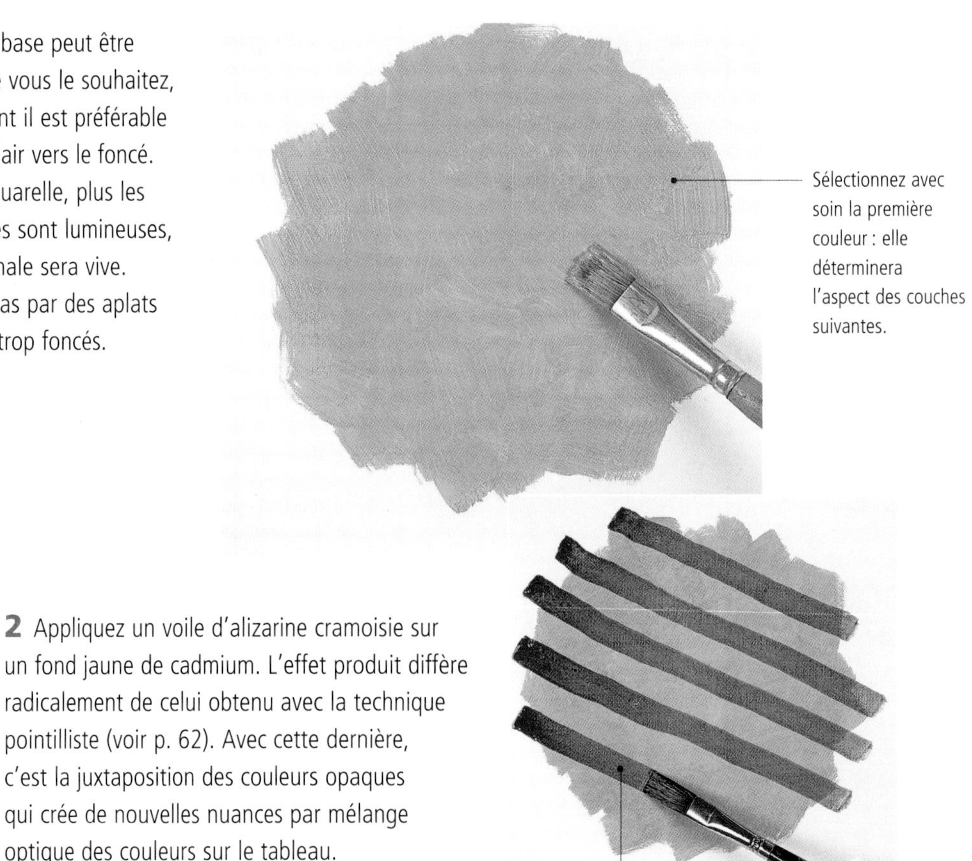

Sélectionnez avec soin la première couleur : elle déterminera l'aspect des couches suivantes.

2 Appliquez un voile d'alizarine cramoisie sur un fond jaune de cadmium. L'effet produit diffère radicalement de celui obtenu avec la technique pointilliste (voir p. 62). Avec cette dernière, c'est la juxtaposition des couleurs opaques qui crée de nouvelles nuances par mélange optique des couleurs sur le tableau.

Le jaune qui transparaît sous le glacis d'alizarine cramoisie donne un bel orangé profond.

3 Laissez sécher la peinture avant d'appliquer la couche suivante – ici un violet profond. La rapidité de séchage de l'acrylique est un atout pour ce genre de technique, mais gardez à l'esprit que la quantité de médium incorporé dans la peinture retarde d'autant le séchage.

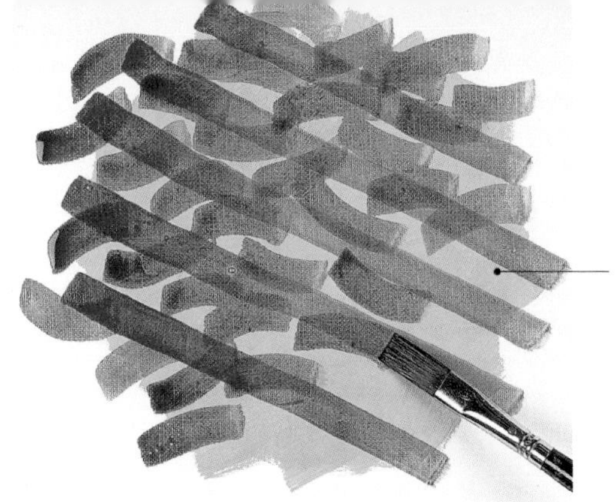

Sélectionnez les nuances et les tons avec soin : ici, le ton du violet est proche de celui du mélange alizarine/jaune.

4 Ce n'est pas la clarté de la couleur qui détermine la réussite du glacis. Certaines couleurs très claires contiennent naturellement une grande quantité de pigment, et elles sont plutôt opaques. Évaluez la transparence des couleurs en faisant des essais sur une chute de papier ou de panneau.

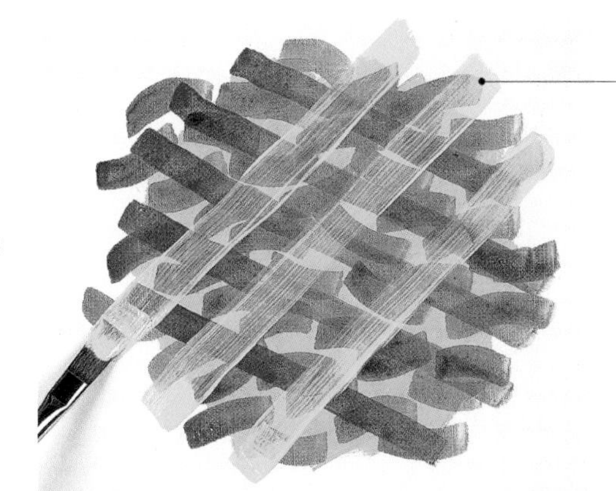

Le jaune de cadmium, relativement opaque, couvre entièrement la couleur de la sous-couche, à moins de le diluer abondamment avec de l'eau et du médium.

Le glacis sur empâtements

Sur les empâtements, le glacis donne des résultats vraiment intéressants. Il permet d'enrichir ou de modifier les nuances sans multiplier les couches de peinture et préserve les textures.

Le glacis met en valeur les textures et les marques de pinceau des empâtements.

Eau ou médium ?

Vous pouvez diluer la peinture uniquement avec de l'eau, mais les médiums mats ou, mieux, brillants, offrent de meilleurs résultats. Ils accentuent la transparence de la peinture et mettent en valeur les touches du pinceau au lieu de les estomper. Pour prolonger le temps de séchage des glacis fins, incorporez du médium retardateur à votre peinture.

Sur la bande du haut, la peinture a été diluée avec de l'eau. Sur l'autre, elle a été diluée avec du médium brillant, qui rend les touches plus visibles.

Les aplats opaques

Matériel

- Peinture acrylique
- Pinceau plat en soies de porc
- Médium mat
- Eau

Les techniques à la peinture opaque imposent moins de contraintes que celles qui jouent sur la transparence des couleurs. En effet, vous n'aurez qu'à repasser par-dessus pour corriger les erreurs et vous pourrez modifier la répartition des couleurs autant de fois que vous le souhaitez. La peinture opaque, qui n'est pas nécessairement épaisse, possède un pouvoir couvrant élevé. Chaque touche dissimule la précédente, même avec les coloris les plus soutenus. La consistance crémeuse idéale est obtenue en travaillant avec la pâte au sortir du tube, c'est-à-dire non diluée avec de l'eau ou du médium. Attention, certaines couleurs étant moins opaques que d'autres, vous devrez parfois les enrichir de blanc. Si vous souhaitez rabattre une couleur soutenue ou éclaircir une zone foncée, commencez par appliquer une couche de blanc sur la zone concernée.

L'application de la peinture

1 Toutes les couleurs acryliques ne donnent pas une couche parfaitement opaque, notamment lorsque des couleurs foncées sont posées sur un support blanc.

L'addition d'eau et/ou de médium acrylique rend la couleur transparente.

Variez le sens des touches afin d'uniformiser l'aplat de couleur.

2 Pour obtenir une zone bien opaque, par exemple pour un aplat de couleur uniforme, appliquez plusieurs couches de peinture en laissant bien sécher chaque couche avant de peindre la suivante.

3 Avec la plupart des couleurs, deux couches suffisent à recouvrir totalement la surface. Pour les moins opaques, comptez trois couches ou plus.

Pour éviter d'accumuler la peinture, lissez soigneusement les touches.

L'acrylique blanche

En incorporant du blanc dans vos couleurs acryliques, vous en augmenterez l'opacité ; mais vous en éclaircirez également le ton, vous privant ainsi de toute nuance foncée ou soutenue. Il est préférable de réserver le blanc aux tableaux de tonalité claire ou présentant un nombre limité de zones très sombres.

Il suffit d'une goutte de blanc pour modifier le ton de la couleur.

Les fluidifiants

1 Les fluidifiants et les gels onctueux (voir p. 22) opacifient la peinture tout en augmentant son volume.

Mélangez le fluidifiant à la peinture comme pour un médium ordinaire.

2 Par ailleurs, les fluidifiants donnent en séchant une finition mate qui absorbe la lumière et augmente l'opacité de la couleur. Comme les autres médiums acryliques, les fluidifiants sont d'un blanc laiteux qui gagne en transparence au séchage ; les couleurs sont ainsi plus claires lorsqu'elles sont humides.

Les fluidifiants augmentent légèrement le volume de la peinture et la rendent plus opaque.

Les empâtements

Matériel

Couteau à palette
Pinceau en soies de porc
Peinture acrylique
Palette
Médium en gel onctueux ou épaississant
Médium retardateur
Eau (pour diluer la peinture de la sous-couche)
Languettes de papier cartonné épais

La technique de l'empâtement, ou *impasto*, consiste à manipuler la peinture épaisse de manière à laisser des marques d'outils très nettes, même après séchage. La pâte est appliquée au pinceau ou au couteau à peindre, et le résultat se distingue généralement par des couleurs soutenues et des touches fluides et expressives, aux reliefs originaux. Vous pouvez réaliser tout un tableau en empâtements ou limiter la technique à certaines zones, par exemple pour mettre en valeur un détail ou les éléments du premier plan. Dans la mesure où, même en applications épaisses, la peinture acrylique sèche rapidement, elle est particulièrement adaptée aux empâtements. Avec les huiles, le séchage des empâtements épais exige parfois des semaines de patience.

L'application de peinture épaisse

1 La consistance de la peinture acrylique en tube se prête bien aux empâtements. En revanche, vous devrez enrichir la peinture en flacon, qui est plus diluée, avec un médium épaississant afin de lui donner du corps. Les médiums fluidifiants et les gels (voir p. 22) donnent du volume à la peinture sans en altérer la couleur.

Mélangez vigoureusement la peinture épaisse sur la palette à l'aide d'un couteau pour éviter d'abîmer vos pinceaux.

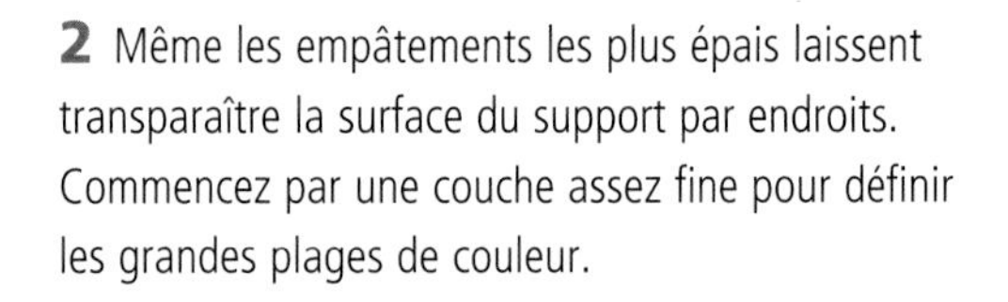

2 Même les empâtements les plus épais laissent transparaître la surface du support par endroits. Commencez par une couche assez fine pour définir les grandes plages de couleur.

La première couche de peinture, plus diluée, permet de définir la texture des touches, un élément capital dans l'aspect final du tableau.

3 Si vous travaillez au pinceau, appliquez les touches d'une geste ferme mais fluide. En repassant dessus, vous perdriez l'effet de texture caractéristique des empâtements. Par ailleurs, laissez transparaître la sous-couche – couleur et texture –, vous accentuerez ainsi les contrastes de la composition.

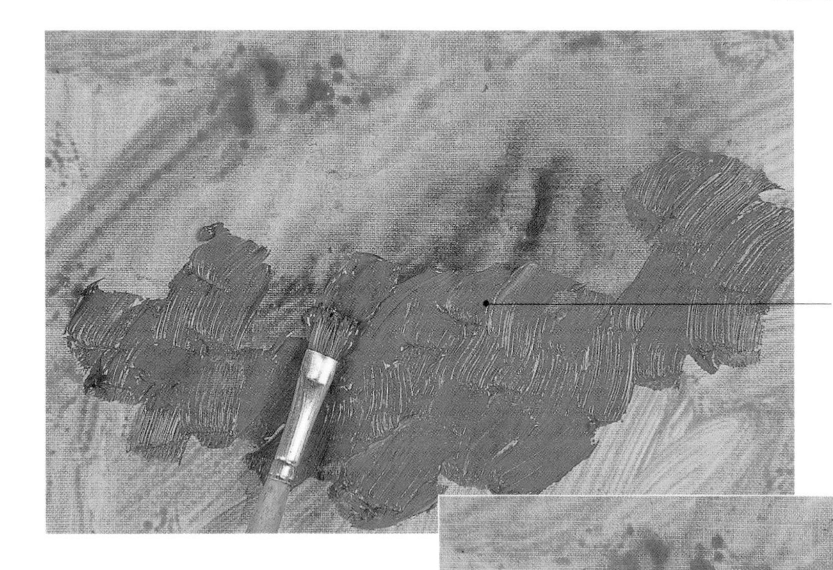

Posez les touches de peinture épaisse en variant leur direction afin de modeler les formes tout en créant la finition texturée.

4 Tant que la peinture reste souple, ajoutez d'autres couleurs en travaillant sur fond humide (voir p. 46). Dès que la peinture durcit et se couvre d'une pellicule mate, laissez sécher totalement avant de continuer. Vous pouvez retarder le séchage avec du médium que vous incorporerez à la pâte (voir p. 22). Si la température est fraîche, l'acrylique demeurera souple et maniable plus longtemps.

Pour les travaux sur fond humide sans médium retardateur, il est préférable de travailler sur de petites surfaces.

La peinture au sortir du tube

Vous pouvez poser la couleur directement du tube sur le tableau, mais vous ne disposerez alors que de couleurs pures. Vous pouvez aussi préparer les nuances et les verser dans une douille à pâtisserie ou dans un sac en plastique dont vous aurez coupé l'un des coins en biais. Pressez la douille ou le sac pour faire sortir la peinture sur le support.

Si vous travaillez directement avec le tube de peinture, nettoyez soigneusement l'embout après usage avant de remettre le bouchon.

Des outils originaux

Vous pouvez travailler en empâtements avec n'importe quel outil (voir p. 44, *La peinture au couteau*). Les languettes de papier cartonné sont, par exemple, très utiles car elles peuvent prendre toutes les formes. Elles perdent progressivement leur rigidité sous l'effet de l'humidité de l'eau et de l'acrylique, mais il vous suffit de découper la partie molle ou d'utiliser un nouveau morceau pour poursuivre votre travail.

Les languettes de papier cartonné servent à appliquer la peinture, à mélanger les couleurs et à manipuler la peinture sur le tableau.

La peinture au couteau

Matériel

Couteaux à peindre
Médium en gel
Médium retardateur
Peinture acrylique
Eau (pour nettoyer les couteaux)
Papier de verre

Les couteaux à peindre permettent de produire des effets d'empâtements spectaculaires. En acier ou en plastique, ils sont vendus dans un large éventail de tailles et de formes et offrent une grande variété de touches. Contrairement aux couteaux à palette, la lame est décalée par rapport au manche et empêche la main qui tient le couteau de toucher le tableau. Une fois que vous aurez pris l'habitude de les utiliser, vous serez capable de créer des effets extrêmement précis ainsi que des touches amples et marquées. Les couteaux permettent une souplesse égale à celle des pinceaux : on peut les incliner sous divers angles pour varier la forme des touches, et augmenter ou diminuer la pression pour former des reliefs profonds ou lisser les aplats de couleur. La peinture au couteau se distingue par la bordure en relief qui marque le côté externe de la touche. Pour les empâtements très épais, renforcez la consistance de la peinture en ajoutant un médium en gel ou une pâte texturante (voir p. 22).

L'utilisation du couteau à peindre

1 Préparez la couleur sur la palette et ramassez-la avec l'extrémité de la lame du couteau. Posez-la sur le tableau en maniant le couteau comme si vous étiez en train d'enduire un mur ou de glacer un gâteau.

Travaillez avec des couteaux extrêmement propres afin d'appliquer la peinture de manière lisse. Nettoyez les résidus secs sur la lame avec du papier de verre.

Si vous avez l'intention de poser plusieurs couches de couleur, utilisez du médium retardateur qui vous laissera tout le temps d'effectuer les manipulations.

2 Au lieu de préparer les couleurs sur la palette, vous pouvez appliquer les couleurs pures directement sur le tableau et effectuer ensuite les mélanges de nuances au couteau.

3 Si travaillez en sgraffito (voir p. 64), utilisez le couteau pour retirer la peinture quand elle est encore souple. De même, incorporez du médium retardateur dans les pâtes afin de disposer d'un délai suffisant pour exécuter toutes les manipulations.

Les façons de retirer la peinture sont aussi nombreuses que les modes d'application. Utilisez la pointe, le côté ou le plat du couteau.

Le couteau ovale

Il existe des couteaux à peindre de différentes tailles, produisant toutes des touches différentes. Essayez-en plusieurs et sélectionnez ceux qui vous conviennent le mieux. Comme pour les pinceaux, vous aurez besoin de plusieurs modèles en fonction de la taille des parties à peindre.

Ce petit couteau ovale sert à construire des plages de couleur non uniformes, par exemple pour représenter le feuillage des arbres.

Le couteau à longue lame

Les couteaux à lame allongée couvrent rapidement de vastes plages de couleur. Commencez de préférence par une fine couche de couleur, laissez sécher et ajoutez ensuite d'autres touches.

L'intérêt de la peinture au couteau réside aussi dans la précision et dans la netteté des bords des touches.

Le couteau à lame pointue

Le long couteau à lame pointue est utile à la fois pour recouvrir de vastes surfaces et pour tracer de fins détails. Projetez la peinture avec l'extrémité pointue et utilisez le tranchant de la lame pour tracer des lignes.

Utilisez de la peinture assez fluide pour dessiner des lignes fines et précises. Elle glissera plus aisément de la lame que la peinture épaisse.

La peinture sur fond humide

Matériel

- Pinceau plat en soies de porc
- Pinceau large en soies de porc
- Médium retardateur
- Eau
- Peinture acrylique
- Palette
- Vaporisateur à eau

Technique traditionnelle de la peinture à l'huile, le travail sur fond humide consiste à superposer les couleurs sans les laisser sécher et à les manipuler directement sur le tableau. Étant donné la rapidité de séchage de l'acrylique, un peu d'entraînement vous sera nécessaire. Vous pouvez retarder le séchage en incorporant du médium spécial ou en vaporisant de temps en temps un voile d'eau claire sur le tableau. Cette technique permet également des transitions progressives entre les couleurs, sans bords marqués, une propriété utile pour modeler les formes ou pour peindre le ciel et les effets de lumière dans un paysage. Vous pourrez aussi apporter des modifications à votre tableau sans multiplier les couches : il suffit de gratter la peinture humide et de la retirer au couteau à palette avant de reprendre toute la partie à corriger.

Le médium retardateur

Incorporez le médium retardateur à la peinture au moment où vous préparez les couleurs. Si vous travaillez avec de la peinture plutôt diluée, appliquez une couche de médium sur la surface à peindre avant de poser les couleurs.

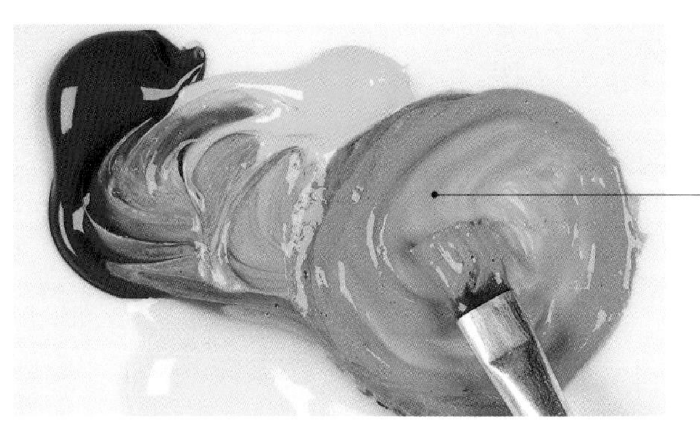

Évitez d'utiliser trop de médium : comptez 20 % au maximum de médium par volume de peinture.

L'application de peinture

1 Le médium retardateur vous accordera davantage de temps lors de la manipulation de la peinture. Ajoutez très peu d'eau à la peinture afin de ne pas gêner son action. Vous exploiterez au mieux la technique sur fond humide en travaillant par touches amples et régulières.

Le médium donne à l'acrylique une consistance très lisse.

2 La nouvelle couche de couleur humide se fond partiellement dans la première, créant un aspect marbré utile pour les détails des paysages : feuillages, herbe et nuages d'orage balayés par les rafales de vent.

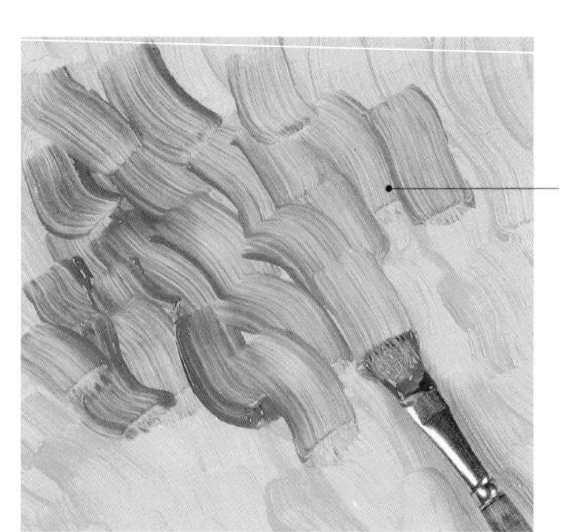

Le travail à l'acrylique sur fond humide rappelle l'impression procurée par la peinture à l'huile.

Peindre sur un fin lavis d'acrylique

1 Vous pouvez appliquer préalablement sur le support un jus dilué d'acrylique sans médium retardateur. Laissez sécher le lavis. Vaporisez de l'eau ou humidifiez abondamment le support au pinceau.

La sous-couche ne doit pas être trop régulière : posez des touches aussi texturées que si vous travailliez sur fond humide.

2 Sans laisser sécher l'eau, appliquez une autre couche de pâte légèrement plus épaisse. L'opération peut être renouvelée plusieurs fois : l'effet produit diffère beaucoup de celui obtenu avec le médium retardateur. En effet, chaque couche de peinture conserve son caractère et le mélange des superpositions relève davantage d'un effet optique que d'un mélange physique.

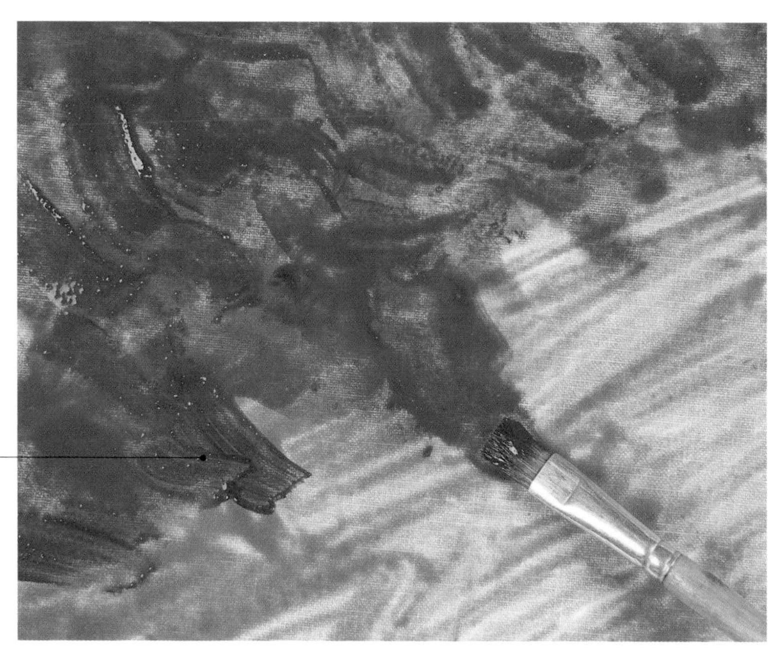

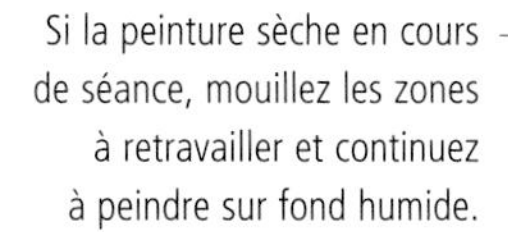

Si la peinture sèche en cours de séance, mouillez les zones à retravailler et continuez à peindre sur fond humide.

Retarder le séchage sans médium

Si vous préférez vous passer de médium retardateur, vaporisez la surface d'un voile d'eau à intervalles réguliers, avant qu'une pellicule ne recouvre les touches.

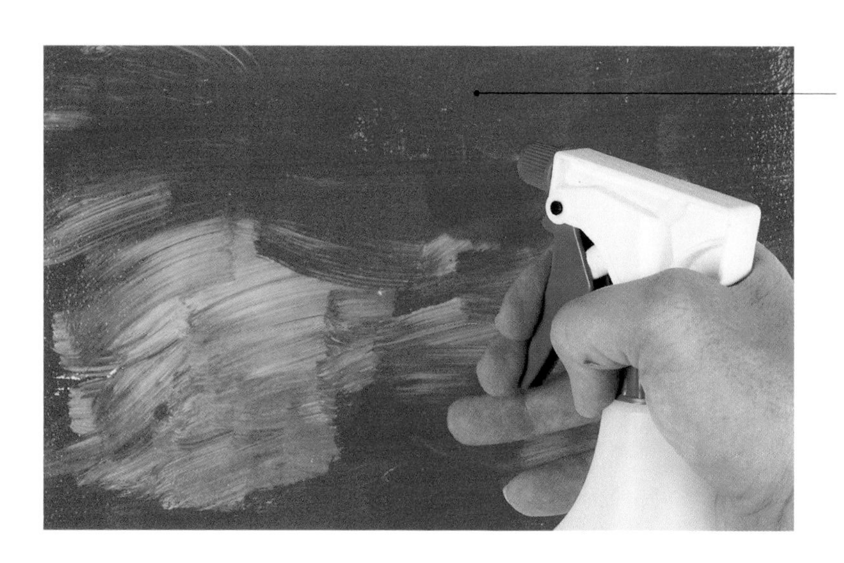

Pour éviter les coulures, posez le support à plat avant de vaporiser le voile d'eau claire.

La peinture à l'éponge

Matériel

Éponge naturelle
Peinture acrylique
Eau
Rouleau en éponge
Pinceau en mousse
Éponge à récurer

Instruments traditionnels de l'aquarelle, les éponges se révèlent également très utiles avec l'acrylique, car elles permettent, entre autres, de couvrir de vastes surfaces rapidement. Elles sont particulièrement intéressantes pour modeler la texture et rompre l'uniformité des plages de couleur. Toutefois, dans la mesure où elles offrent moins de précision que les pinceaux, elles ne conviennent pas aux détails précis. Le choix de l'éponge, naturelle ou artificielle, dépend de l'effet désiré. Les éponges naturelles produisent des motifs originaux et moins réguliers, mais elles coûtent cher. Pour les conserver longtemps, nettoyez-les soigneusement sans laisser sécher la peinture. Pensez aussi aux pinceaux en mousse conçus pour la décoration intérieure, les rouleaux en éponge ou les tampons à récurer. Tous créent des motifs qui viendront compléter les touches des instruments plus classiques du peintre.

Les éponges naturelles

1 Les éponges absorbent une quantité considérable de liquide. Préparez le jus d'acrylique en prévoyant une quantité suffisante pour toute la zone à recouvrir. La peinture doit être assez fluide. Pour plus de facilité, préférez une coupelle assez profonde à la palette. Diluez le jus avec de l'eau ou avec un médium acrylique.

L'éponge donne une empreinte texturée. Plus la peinture est épaisse, plus l'effet est marqué.

2 Pour un effet irrégulier, maniez l'éponge naturelle d'un mouvement léger et saccadé. La peinture doit être assez épaisse pour laisser sur le support la trace des alvéoles de l'éponge – si elle est trop fluide, elle s'étale et l'empreinte est moins nette.

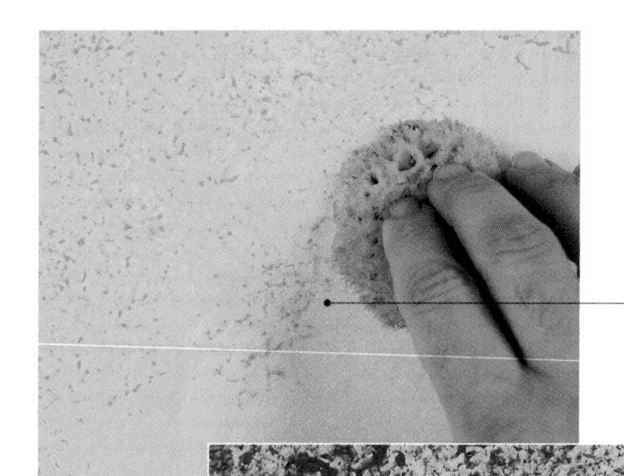

Laissez bien sécher la couleur de base avant d'appliquer la couche plus texturée.

3 Vous avez la possibilité de superposer les couleurs. Laissez sécher la peinture entre les couches et rincez soigneusement l'éponge entre deux applications afin d'obtenir une texture franche.

Appliquez les touches en faisant pivoter l'éponge de manière à ce que son motif ne se répète pas trop régulièrement.

4 L'éponge permet de composer des harmonies de couleurs très élaborées, offrant une finition vibrante difficile à obtenir autrement. Déclinez les touches en humidifiant le support de temps à autre afin que certaines empreintes paraissent floues et contrastent avec les touches sèches et plus nettes.

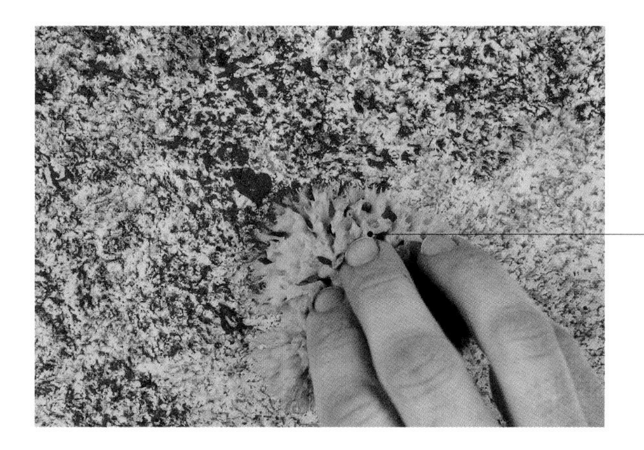

Appliquez l'éponge sans appuyer, de manière à ne pas écraser les reliefs des touches de peinture précédentes.

Les pinceaux en mousse

Les pinceaux à décor en mousse retiennent une grande quantité de peinture et recouvrent rapidement de vastes surfaces. Il en existe de plusieurs tailles. Une fois découpés, ils permettent de peindre les moindres recoins.

La texture fine de la mousse laisse une empreinte plus uniforme que celle des soies naturelles ou synthétiques des pinceaux classiques.

Les rouleaux en mousse

Les rouleaux permettent d'obtenir de belles plages uniformes de couleur. Utilisez de la peinture épaisse et superposez soigneusement les couches en laissant bien sécher la peinture entre deux applications.

Les petits rouleaux permettent de peindre des bandes courbes ou irrégulières.

Découpez les éponges à la taille voulue

Il suffit d'un cutter ou de ciseaux bien affûtés pour découper la mousse ou l'éponge à la forme voulue et obtenir des empreintes plus originales. Ne réutilisez pas les morceaux d'éponge souillés.

La face éponge de ce tampon offre une texture très différente de la face prévue pour récurer.

Les masques

Matériel

Papier et toile pour fabriquer les masques
Ruban adhésif
Pinceau plat en soies de porc
Peinture acrylique
Eau
Ciseaux
Ruban cache

Le masquage sert deux objectifs : isoler une partie du tableau pour ne pas y apposer de peinture ou créer des bords nets, soit pour un détail précis, soit pour une simple plage de couleur. Pour les masques, vous utiliserez au choix du papier (cartonné ou non), du ruban cache ou du tissu. Si vous travaillez avec les techniques de l'aquarelle (voir p. 36) sur du papier, utilisez du fluide à masquer. Appliquez le masque, laissez sécher et peignez par-dessus. Laissez sécher la peinture et retirez la pellicule de résine en la frottant du bout des doigts ou avec une gomme à effacer. Le masquage est indispensable pour les projections (voir p. 58) ou les frottis (voir p. 60) afin de ne couvrir de peinture que des zones précises, mais il offre aussi un grand intérêt pour peindre des formes qui se détacheront plus nettement du fond.

La préparation et l'emploi du masque

1 Découpez le masque à la forme voulue dans du papier ou du carton (une excellente manière d'utiliser les chutes). Pensez aussi au papier journal, mais uniquement si la peinture est assez épaisse car les jus trop liquides traversent le papier. Les papiers à dessin ou à aquarelle, faciles à découper voire à déchirer, conviennent très bien.

Déchirez le papier dans le sens du fil ; pour obtenir un bord irrégulier, déchirez-le dans le travers.

2 Placez le masque sur le tableau en veillant à ce que la peinture des couches précédentes soit parfaitement sèche.

Pour créer des effets plus originaux, associez les bords déchirés et les bords découpés aux ciseaux. La facture du masque joue un rôle non négligeable dans la composition.

3 Préparez la couleur jusqu'à obtenir une pâte de consistance assez épaisse. Fixez le masque avec du ruban cache ou maintenez-le avec la main. Posez les touches à partir des bords du masque vers l'extérieur de manière à ce que la peinture ne glisse pas sous le masque.

Si la peinture est trop liquide, elle risque de glisser sous le masque, même lorsque vous utilisez du ruban cache. Pour résoudre le problème, travaillez avec une couleur plus épaisse.

4 Retirez le masque avant de laisser sécher la peinture. Certains artistes attendent que la couleur soit sèche, mais elle risque de coller le bord du masque au support. En retirant le masque une fois la peinture sèche, vous pourriez déchirer la couche de peinture, qui montrerait alors un bord denté.

Soulevez délicatement le masque et éloignez-le du support en tirant délicatement vers le bas.

Les découpes complexes

Pour les bords plus élaborés, dessinez le tracé sur le papier avant de le découper. Utilisez des ciseaux très affûtés ou un cutter.

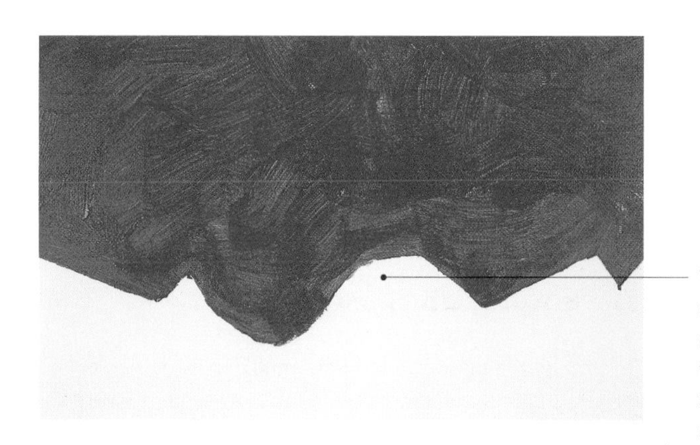

Vous pouvez découper le papier dans toutes les formes voulues, même les plus complexes, et vous servir plusieurs fois du masque après l'avoir laissé sécher.

Les masques en tissu

Les étoffes peuvent être découpées comme du papier, mais il est parfois difficile de les déchirer autrement que dans le sens du droit fil. Faciles à déchirer, les chutes de canevas ou d'étamine apportent au tableau de beaux effets de texture grâce à leurs bords frangés.

Tirez sur les fils de trame afin de dégager les franges.

Le ruban cache

Le ruban cache convient aux détails, aux petits carrés et aux rectangles. Il existe en plusieurs largeurs et se déchire aussi bien que le papier. Pratique, vous l'enlèverez facilement d'un support en toile ou en bois, mais faites attention aux risques de déchirure des supports en papier.

Le ruban cache crée des motifs élaborés suivant les lignes géométriques. Par exemple, il permet de reproduire aisément les tissus à carreaux ou à rayures dans une nature morte.

Les pâtes texturantes

Matériel

- Palettes
- Pâtes ou gels texturants
- Médium acrylique
- Eau
- Peinture acrylique
- Grand couteau à palette
- Pinceau plat en soies de porc
- Médium retardateur

L'acrylique permet de créer des effets de texture, et il suffit de lui incorporer des pâtes épaississantes pour mettre en valeur ses propriétés (voir p. 42, *Les empâtements*, et p. 44, *La peinture au couteau*). Vous trouverez dans le commerce toutes sortes de pâtes et de gels enrichis en agrégats plus ou moins fins : sable fin, sable grossier, fibres ou lave, qui vous permettront d'obtenir des textures réalistes ou plus simplement une finition originale. Les pâtes texturantes sont mélangées à la peinture sur la palette et travaillées au pinceau ou au couteau à palette. Une autre solution consiste à appliquer la pâte texturante directement sur le support et à peindre par-dessus avec la couleur voulue. Attention, ces pâtes étant assez lourdes, prévoyez un support robuste : panneaux en fibres ou toiles épaisses. Vous pouvez aussi fabriquer vos propres pâtes texturantes en incorporant, par exemple, du sable ou de la sciure de bois dans la couleur ou dans le médium acrylique.

L'emploi de la pâte texturante

1 Au couteau à palette, mélangez la pâte et la couleur (les étapes 1 à 4 illustrent l'emploi de gel texturant à base de sable, mais les instructions valent pour tous les types de pâte). Évitez d'effectuer le mélange au pinceau car la pâte engorge rapidement les soies. Au sortir du tube, la pâte est trop épaisse : diluez-la avec de l'eau ou du médium acrylique comme vous le feriez pour la peinture ordinaire. Vous pouvez aussi incorporer un médium pour retarder le séchage.

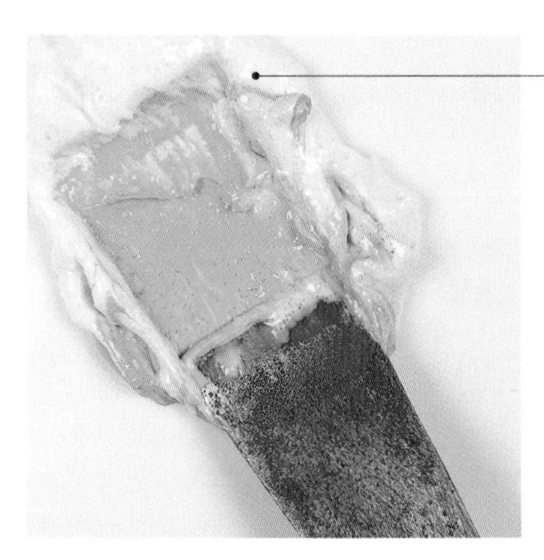

Mélangez la pâte et la peinture jusqu'à obtention d'une consistance homogène.

2 Au couteau, étalez la pâte sur le support en jouant sur la direction des touches pour accentuer les reliefs.

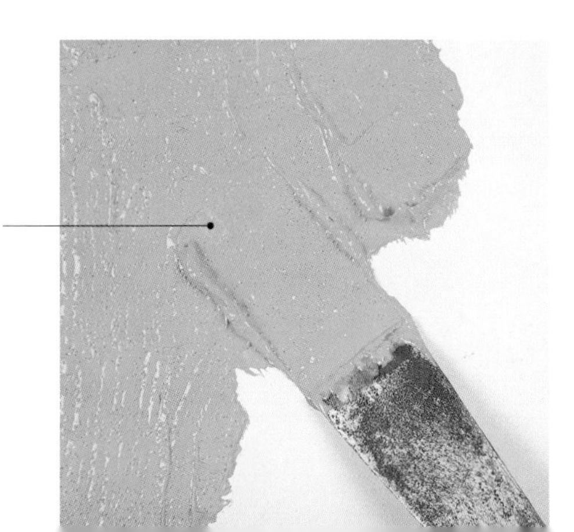

Tant que la pâte reste souple, il suffit de la gratter pour corriger les erreurs directement sur le tableau.

3 Laissez sécher la couche de peinture enrichie en pâte avant de peindre par-dessus. Pour les couches suivantes, utilisez un jus assez dilué de manière à ne pas dissimuler les effets de texture.

La peinture très diluée glisse sur les reliefs, créant une finition tachetée très animée.

4 Les pâtes texturantes donnent aussi d'excellents résultats sur des plages de couleur sèches. Mélangez la nouvelle couleur avec la pâte et appliquez-la au pinceau plat en soies de porc d'un geste saccadé. La couleur de la couche inférieure apparaîtra alors par endroits.

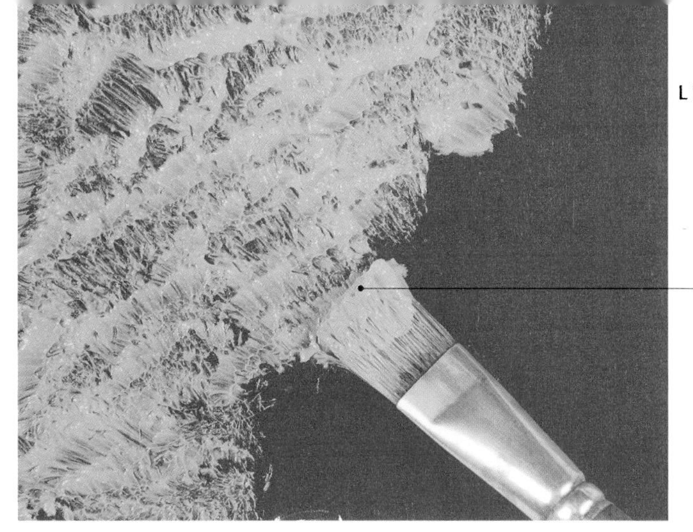

Les touches saccadées produisent une surface plus complexe qui associe les effets de texture et de couleur.

Les pâtes à base de fibres

Les pâtes texturantes à base de fibres sont plus fermes que celles qui contiennent du sable ou de la lave. Appliquez-les de préférence au couteau à palette ou à peindre. Leur texture se prête bien à la peinture de paysages et à la représentation des ciels tourmentés ou des mers agitées par la tempête.

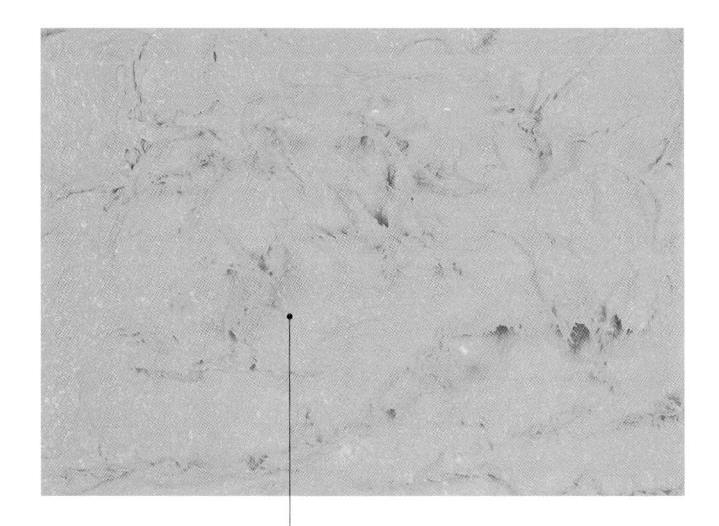

Les pics formés par la pâte texturante projettent de petites ombres qui se déplacent en fonction de la source de lumière et de l'angle de vue.

Les pâtes à base de sable

Les pâtes à base de sable naturel présentent une texture plus fine et plus fluide que les pâtes à base de fibres. Le sable donne du corps à la peinture, toutefois pour mettre sa texture en valeur, appliquez la pâte en couche fine sur une surface lisse, une toile fine ou un panneau enduit de gesso.

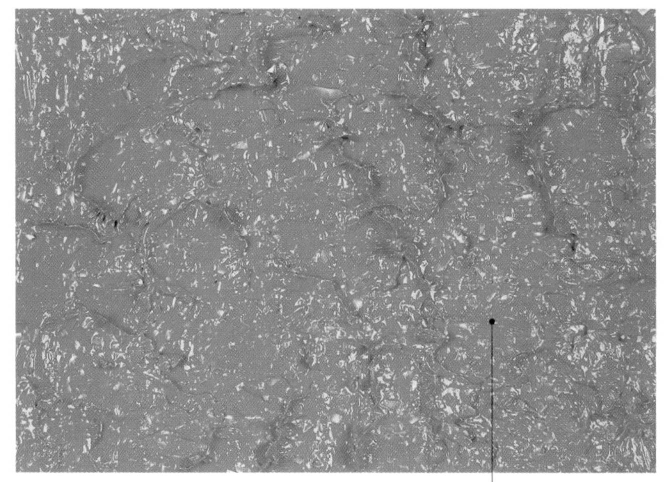

La viscosité de certaines pâtes permet de les modeler en pics ou de les étaler à plat.

Les pâtes à la lave noire

Les pâtes qui contiennent des grains de ponce ont moins de corps, mais la couleur des grains et leurs reflets ont tendance à présenter de beaux effets scintillants.

Utilisez des couleurs assez claires afin de laisser les grains noirs apparaître dans la finition.

Les textures maison

Matériel

- Palette
- Sable
- Gravillons fins
- Papier pour les masques
- Couteau à palette
- Couteau à peindre
- Pinceau plat en soies de porc
- Médium acrylique brillant ou mat
- Peinture acrylique

Grâce aux propriétés adhésives de la peinture et des médiums acryliques, vous pourrez personnaliser vos textures en leur incorporant toutes sortes de matériaux : sable, plâtre, poudre de marbre, sciure de bois, débris de végétaux secs, voire des morceaux plus gros comme des gravillons ou des copeaux de bois. Utilisez cependant des matériaux propres, bien secs, qui ne risquent ni de pourrir ni de se détériorer. En préparant vos propres mélanges, vous pourrez à moindre frais couvrir de vastes surfaces, mais aussi effectuer de nombreux essais sans vous ruiner (voir aussi p. 52, *Les pâtes texturantes*).

La préparation et l'emploi des pâtes

1 Utilisez des matériaux propres et bien secs, par exemple du sable lavé destiné aux bacs pour enfants. Mélangez le sable et la peinture sur la palette en ajoutant un peu de médium mat ou brillant si la pâte est trop ferme.

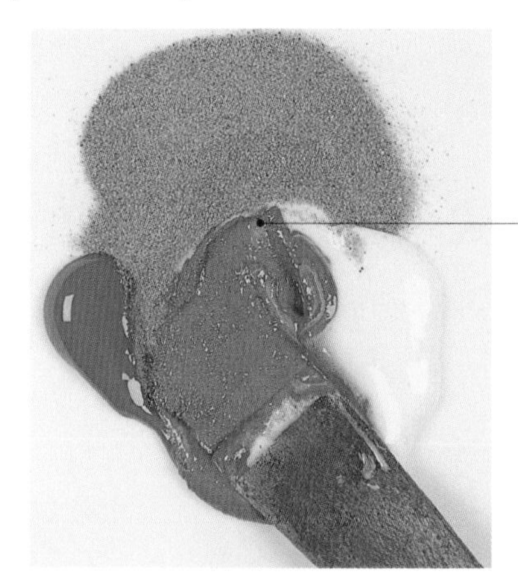

Malaxez soigneusement les ingrédients en veillant à bien recouvrir tous les grains de sable de peinture et de médium acrylique.

2 Au couteau à palette, appliquez le mélange sur le support. En travaillant à plat, vous ferez plus facilement varier la pression sur le couteau et vous éviterez également de renverser le mélange sur le sol. Laissez sécher à plat.

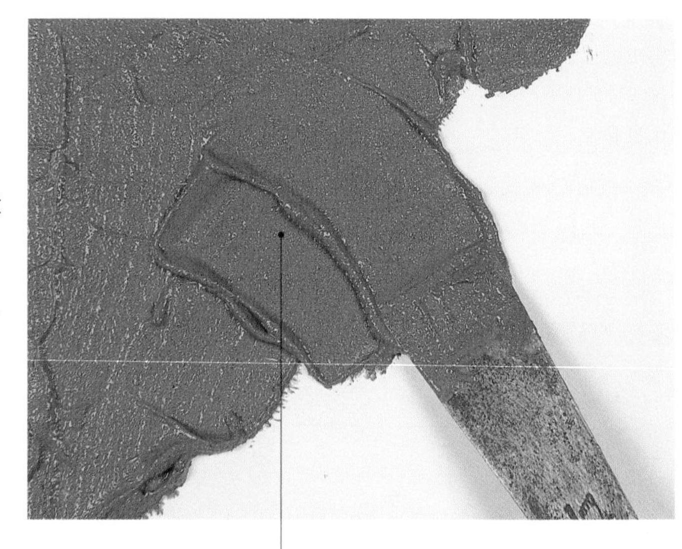

La pâte est facile à manipuler. Il suffit de la gratter pour renouveler les applications jusqu'à ce qu'elle commence à durcir.

3 Tant que la pâte texturante reste malléable, vous pouvez la modeler avec n'importe quel instrument comme l'extrémité du manche du pinceau (voir p. 64, Le sgraffito). Ici, la pointe du couteau à peindre a ouvert des motifs dans la couche de pâte.

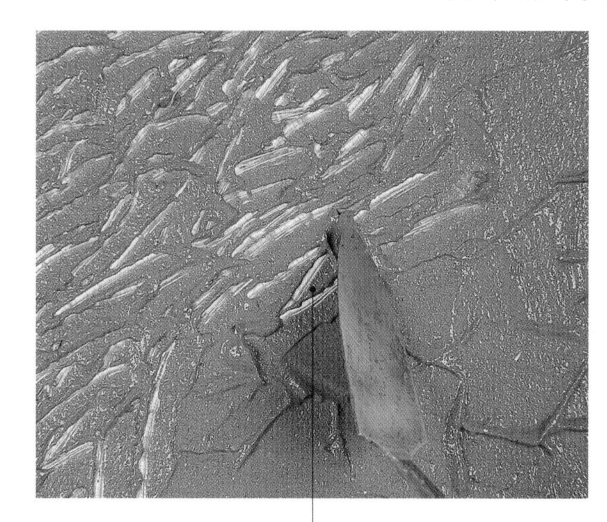

Travaillez rapidement pour effectuer les corrections au fur et à mesure. Lissez, par exemple, la couche encore humide pour recommencer le sgraffito si nécessaire.

4 Laissez sécher la peinture avant de continuer (comptez une heure environ pour les pâtes épaisses) en vérifiant du bout des doigts les parties les plus épaisses. Vous accélérerez le processus en passant un sèche-cheveux sur la peinture ou en plaçant le tableau à proximité d'un radiateur.

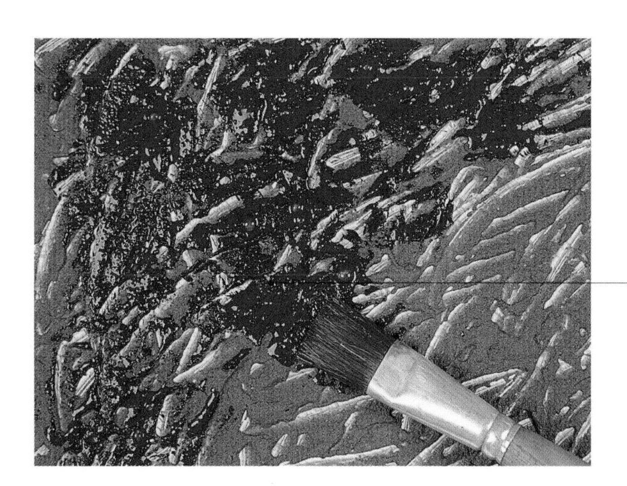

Lorsque la première couche est sèche, appliquez une autre couche de peinture par-dessus en posant des touches de façon aléatoire pour compléter les effets de texture par des effets de frottis (voir p. 60).

Utilisez les masques

L'épaisseur de la pâte texturante la rend difficile à utiliser pour les détails ou les petites zones. Pensez à isoler la forme en utilisant un masque (voir p. 50).

Un bord net est obtenu avec un masque simple : le bord rectiligne d'une feuille de papier épais.

Les reliefs prononcés

La peinture et les médiums acryliques sont suffisamment adhésifs pour fixer des matériaux assez gros. Des gravillons lavés incorporés à la peinture et à un gel épais créent un puissant effet de relief. Après séchage, vous pouvez appliquer une légère couche de couleur pour dissimuler le matériau.

Laissez sécher les pâtes très épaisses toute une nuit avant d'appliquer d'autres couleurs par-dessus.

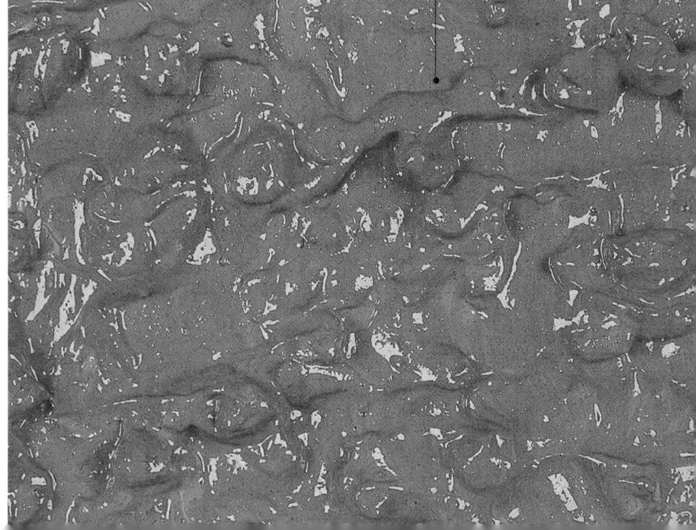

Les fondus

Matériel

- Pinceau en soies de porc
- Peinture acrylique
- Médium retardateur
- Eau
- Serviette en papier ou chiffon
- Pinceau éventail en soies de porc
- Petit pinceau rond

Les transitions brutales entre deux couleurs nécessitent souvent d'estomper les touches. Les fondus jouent un grand rôle dans les portraits car la carnation de la peau est rendue par des dégradés très progressifs. La rapidité de séchage de l'acrylique la rend plus difficile à estomper que l'huile, mais quelques astuces permettent de contourner la difficulté. L'une d'entre elles consiste à incorporer du médium retardateur dans la couleur afin de disposer de temps pour retravailler même les plus grandes plages de couleur (voir ci-après). Vous pouvez également humidifier de temps en temps la surface du tableau avec un voile d'eau claire pour que la peinture reste malléable (voir p. 46, *La peinture sur fond humide*). Par ailleurs, une peinture suffisamment épaisse permet d'estomper des surfaces réduites sans avoir recours au médium retardateur.

Estomper au pinceau fin

1 Appliquez grossièrement les deux couleurs sur le support. Posez du jaune côte à côte avec du vert. Ajoutez ensuite d'un mouvement saccadé quelques touches rapides de vert sur le bord de la plage jaune. Procédez à l'identique avec des touches de jaune sur le bord de la surface verte.

2 Continuez à estomper les couleurs en les mélangeant rapidement pour produire une teinte située entre le jaune et le vert. Essuyez régulièrement le pinceau sur un chiffon ou une serviette en papier sans utiliser d'eau pour ne pas diluer les teintes initiales.

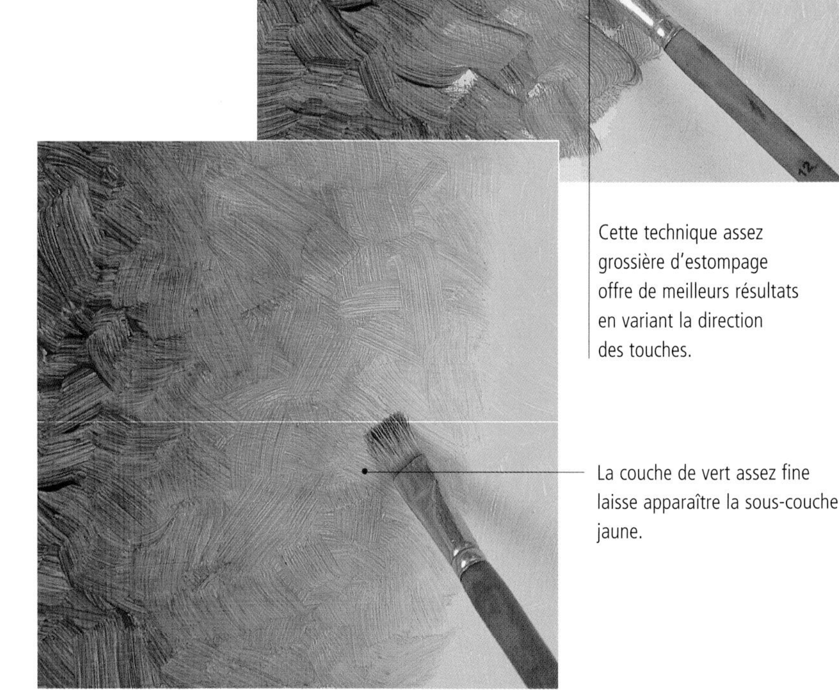

Cette technique assez grossière d'estompage offre de meilleurs résultats en variant la direction des touches.

La couche de vert assez fine laisse apparaître la sous-couche jaune.

3 La transition entre les deux couleurs s'effectue progressivement. Variez constamment la direction des touches et essuyez le pinceau jusqu'à l'obtention de la finition souhaitée.

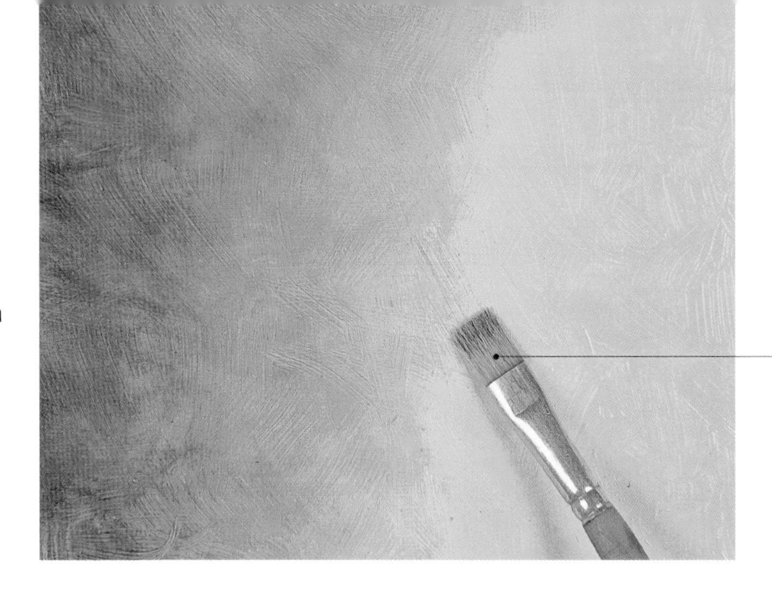

Au fur et à mesure que la transition se fait moins nette, allégez progressivement la pression et lissez les touches de pinceau.

Estomper au pinceau éventail

Le pinceau éventail est conçu pour estomper les couleurs. Il exige un peu d'entraînement, mais garantit ensuite un gain de temps.

Comme avec le pinceau plat, variez le sens des touches et réduisez la pression sur le pinceau éventail.

Estomper au doigt

Vous pouvez aussi estomper la peinture humide avec un chiffon ou avec le doigt. Mouillez légèrement le bout du doigt avec de l'eau afin qu'il glisse mieux dans la couche de peinture.

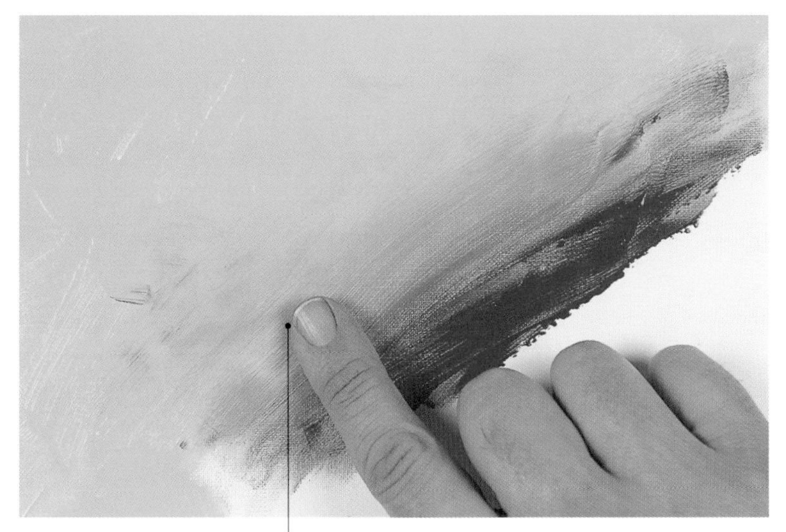

Ne laissez pas sécher la peinture car vous risqueriez de la retirer du bout du doigt.

Hachures croisées

Cette technique nécessite davantage de temps et de délicatesse. Avec un petit pinceau rond, exécutez une série de touches croisées en travaillant sur de petites surfaces. Les artistes du début de la Renaissance exploitaient cette technique pour peindre *a tempera* (détrempe à l'œuf), avec un pigment à séchage rapide. Superposez les touches et laissez bien sécher chaque couche avant d'appliquer la suivante.

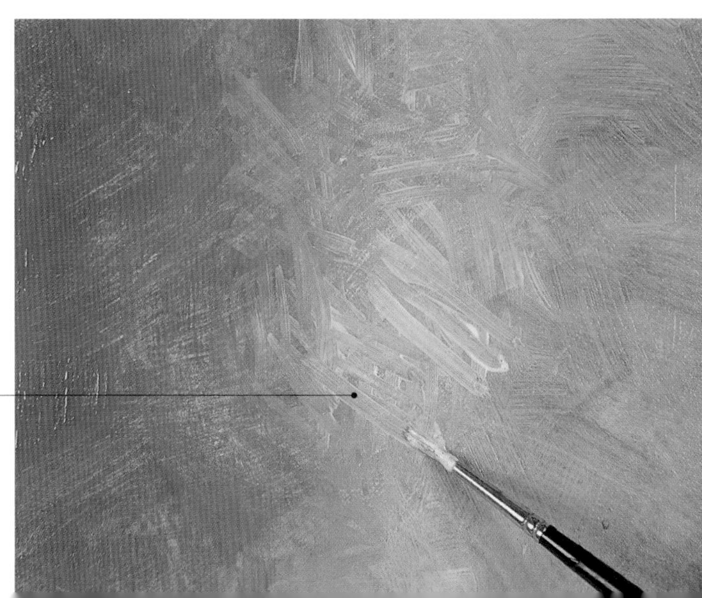

De loin, le réseau de touches linéaires forme une transition presque invisible.

Les projections

Matériel

Pinceau aquarelle à lavis
Pinceau en soies de porc
Peinture acrylique
Eau

Les projections de peinture sur la surface du tableau constituent une méthode directe et rapide pour introduire des effets originaux et rompre l'uniformité des plages de couleur. Elles servent également à évoquer la texture de certains détails de paysages, par exemple les galets de la plage, les mottes de terre des labours ou les flocons de neige. Vous pouvez utiliser les projections pour représenter diverses formes figuratives, mais vous devrez procéder avec précision pour qu'elles ne dominent pas le reste de la composition. Si l'effet est exagéré, il risque de paraître artificiel. Il est possible de maîtriser l'effet des projections jusqu'à un certain point, mais les gouttelettes de couleur ont une fâcheuse tendance à se poser aux endroits les plus incongrus. L'emploi de masques (voir p. 50) évite les effets indésirables.

Les effets de projection élaborés

1 Appliquez rapidement la couleur de base à l'aide du pinceau à lavis. Posez le tableau à plat. Diluez la couleur jusqu'à l'obtention de la consistance voulue : elle doit être assez fluide pour glisser sans peine lorsque vous agitez les soies. Tenez le pinceau au-dessus de la partie à peindre et tapotez vivement le manche de votre main libre pour libérer les gouttes de couleur.

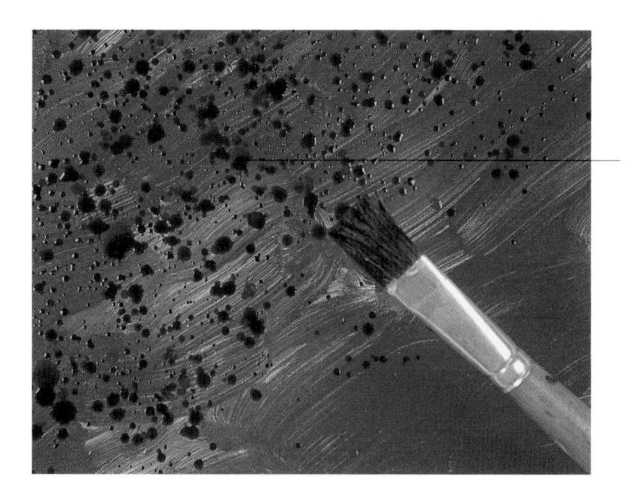

N'insistez pas sur une même zone car les gouttes finiraient par se rejoindre pour former une tache de couleur.

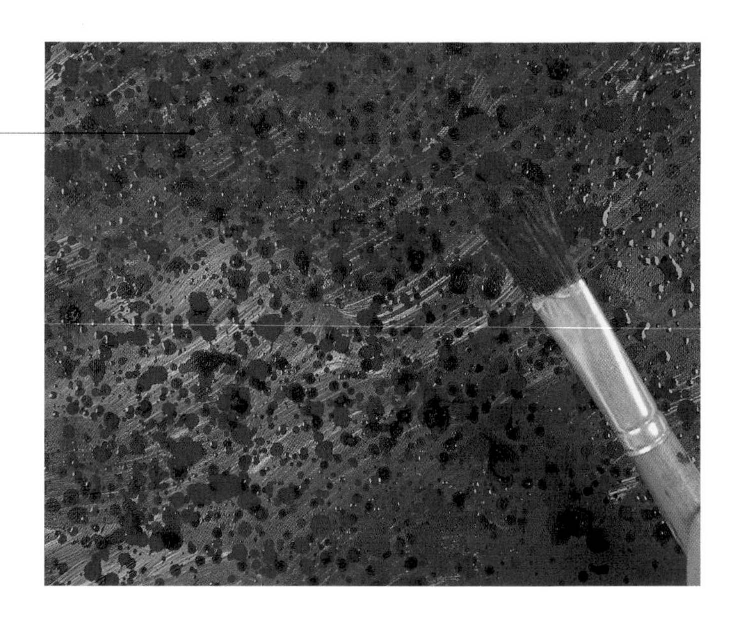

Laissez sécher le tableau sans le déplacer ou les gouttes des projections risqueraient de glisser.

2 Laissez sécher les premières projections avant de répéter l'opération avec la même couleur ou une autre – selon l'effet désiré. Une fois encore, n'insistez pas sinon les gouttes, trop nombreuses, se rejoindraient.

3 En superposant les projections de coloris différents, vous obtiendrez un ensemble assez élaboré. Vous pouvez répéter l'opération autant de fois que vous le souhaitez. Si vous n'êtes pas satisfait du résultat, essuyez simplement les projections au chiffon humide avant qu'elles ne sèchent.

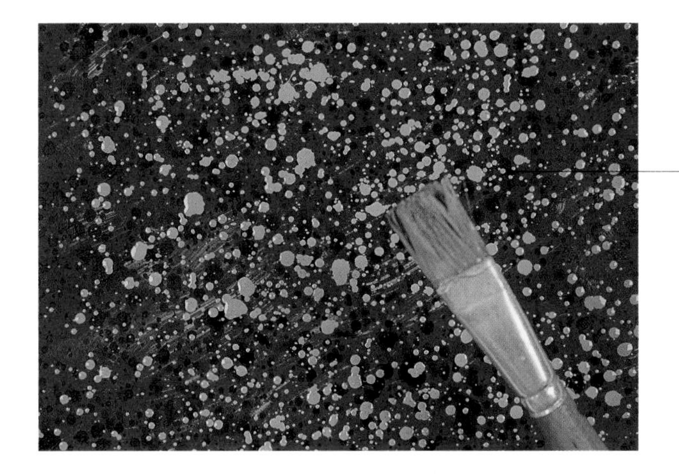

Jouez sur la taille des gouttelettes en faisant varier la consistance de la peinture : plus elle est épaisse, plus les gouttes seront grosses.

Les projections sur fond humide

Pour que les projections s'étalent en surface, parfois jusqu'à se rejoindre, mouillez préalablement le support avec de l'eau et utilisez une peinture légèrement plus épaisse. Le poids des gouttes repousse l'eau ou la peinture humide de la première couche et les gouttes s'étalent en adoptant des contours plus irréguliers.

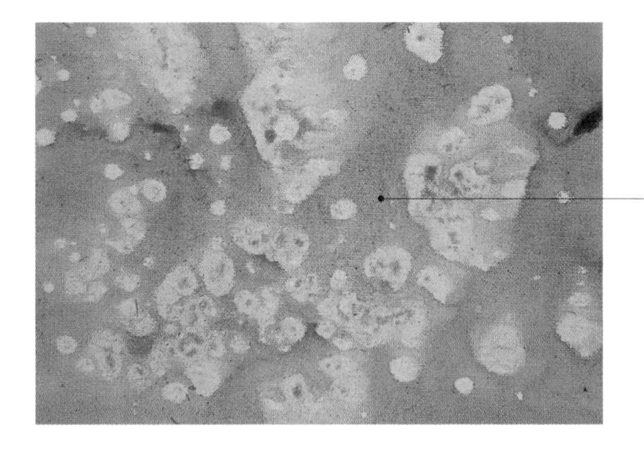

Cette technique se prête bien à la représentation d'un feuillage ou d'un massif de fleurs.

Les projections fines

Plus la peinture est fluide, plus les projections seront fines. Ici, le pinceau a été maintenu au-dessus du tableau et les soies ont été ramenées vers l'arrière avant d'être brusquement relâchées.

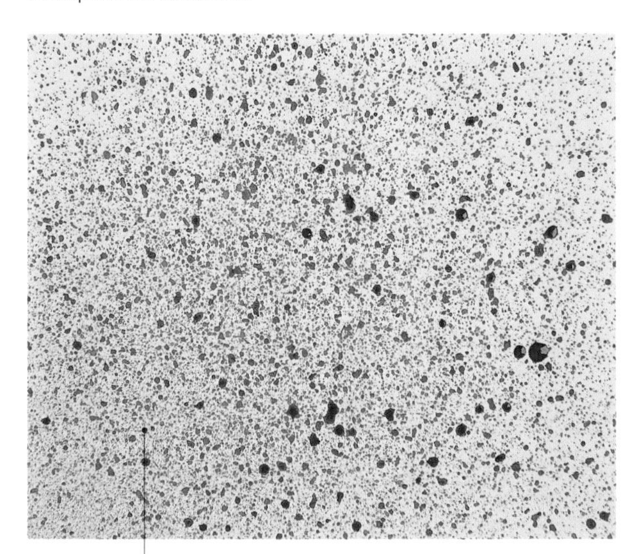

Ne multipliez pas les projections d'une même couche ou les touches perdraient de leur finesse.

Les projections balayées

Cette technique consiste à projeter la peinture par des mouvements amples pour former des lignes sur le tableau, en se plaçant sur le côté plutôt qu'au-dessus du support. Utilisez-la avec parcimonie, car le rythme des balayages risque de détourner le regard du sujet principal du tableau. Avec des masques qui permettent de mieux maîtriser l'emplacement des projections, cette méthode offre d'immenses possibilités notamment pour représenter les paysages marins ou les ciels d'orage.

Avant de vous lancer, entraînez-vous sur une feuille de papier brouillon.

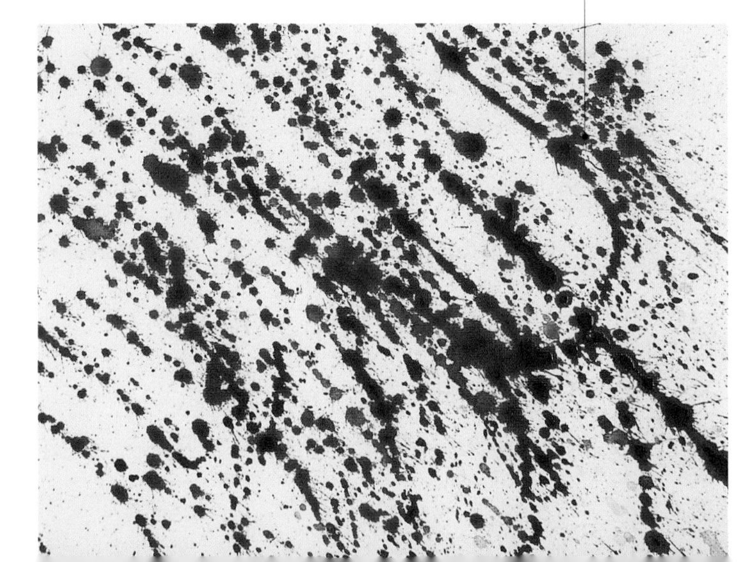

Les frottis

Matériel

Pinceau plat en soies de porc
Peinture acrylique
Eau

Le frottis ne diffère du glacis que par l'ajout de blanc dans la peinture et par l'épaisseur des jus utilisés. Ils sont plus épais pour le frottis, car ils permettent de poser des voiles opaques ou semi-opaques sur les couleurs sans pour autant les dissimuler. L'effet permet d'approfondir la couleur tout en la rabattant légèrement. Technique également empruntée au répertoire des peintres à l'huile, le frottis convient encore mieux à l'acrylique, qui sèche plus vite. Si vous appliquez plusieurs voiles de frottis, les touches de chaque voile demeureront visibles par endroits, ce qui produira une finition colorée d'une vivacité difficile à obtenir par d'autres méthodes.

Les frottis sur les surfaces lisses

1 Choisissez soigneusement la couleur de base, car en demeurant visible sous les touches ultérieures, elle définit la tonalité du tableau. Appliquez grossièrement une première couche de vert émeraude. Les frottis permettent ainsi d'animer les plages de couleur trop lisses et trop uniformes.

Pour la première couche, placez des touches amples dans toutes les directions. Vous disposerez alors d'une bonne base pour construire des effets de couleur rabattue.

2 Appliquez la seconde couche – ici un rouge soutenu – de manière aléatoire. Faites glisser le pinceau sur le support dans toutes les directions en laissant apparaître par endroits la sous-couche verte. Ici, le support est un panneau en bois enduit de gesso.

Sur les surfaces lisses, adoptez un mouvement de rotation au lieu de faire glisser les soies du pinceau sur le tableau.

3 Pour la couche suivante – une pâte assez épaisse d'acrylique blanche –, travaillez de manière à laisser transparaître les touches précédentes vertes et rouges.

Variez la direction des touches pour éviter de créer un motif régulier qui attirerait exagérément l'attention et modifierait la composition.

Associez les frottis et les glacis

Lorsque vous associez les frottis et les glacis, la peinture fluide, presque transparente, donne des finitions lustrées aux couleurs profondes. Vous travaillerez les frottis au choix en fins lavis ou en touches de peinture épaisse. Ici, la couche de base rouge a été recouverte d'un glacis de touches amples de jus jaune très dilué. On a laissé sécher avant d'appliquer de nouvelles touches de rouge dilué pour renforcer l'harmonie des couleurs.

Les touches peuvent rester visibles, mais orientez-les dans des directions différentes de celles, toujours visibles, des couches précédentes.

Les frottis sur les surfaces texturées

Les frottis sont plus faciles à exécuter sur les surfaces rugueuses ou irrégulières, car les aspérités accrochent la peinture d'une manière assez naturelle. Ici, la peinture blanche se fixe de façon irrégulière sur la trame rugueuse de la toile.

Travaillez avec une pâte de peinture blanche assez sèche, qui ne couvrira pas toutes les mailles de la toile.

Le pointillisme

Matériel

Petit pinceau rond
Peinture acrylique
Palette
Eau

Le pointillisme s'appuie sur le mélange optique des couleurs pures. Si vous juxtaposez des touches de couleurs différentes, de loin, l'œil ne perçoit qu'une seule nuance. C'est au XIXe siècle que Georges Seurat a exploité cette propriété pour créer le pointillisme – même si le peintre français préférait parler de « divisionnisme ». La technique est certes laborieuse, mais elle possède un charme incomparable. Grâce aux mélanges optiques de couleurs ainsi produits, le tableau dégage une vibration qui ne peut être obtenue autrement. Cette technique présente également un intérêt pédagogique, car elle permet de comprendre la manière dont les couleurs se comportent les unes par rapport aux autres.

La technique du pointillisme

1 L'objectif de l'exercice vise à peindre un panneau en violet. La première étape consiste à poser sur le support des touches de couleur (rouge de cadmium) régulièrement espacées et de tailles légèrement différentes.

Les pinceaux usagés, dont la pointe est émoussée, sont utiles pour réaliser les pois de petite taille.

2 Une fois que les pois rouges ont séché, reprenez le travail avec des touches d'alizarine cramoisie que vous disposerez aussi loin que possible des pois rouges.

Vérifiez la consistance de la peinture avant de vous lancer : elle doit être assez fluide pour permettre de poser les pois de la pointe du pinceau.

3 Laissez sécher l'alizarine cramoisie. Ajoutez des pois bleu outremer de la même manière en garnissant les espaces qui séparent les pois rouges et ceux d'alizarine cramoisie.

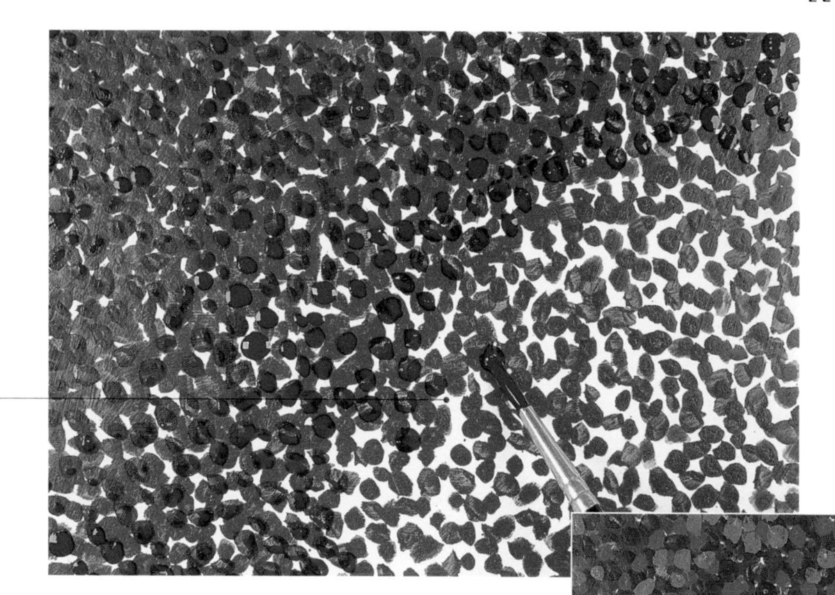

Les pois commencent à dissimuler le blanc du support.

4 Ajoutez une série de pois mauves.

L'effet prend forme et l'œil commence à percevoir le violet comme la couleur générale.

5 Vous pouvez éclaircir ou foncer la couleur des pois, mais évitez de juxtaposer des tons très clairs et très foncés, car l'œil ne les percevrait plus comme une seule plage de couleur.

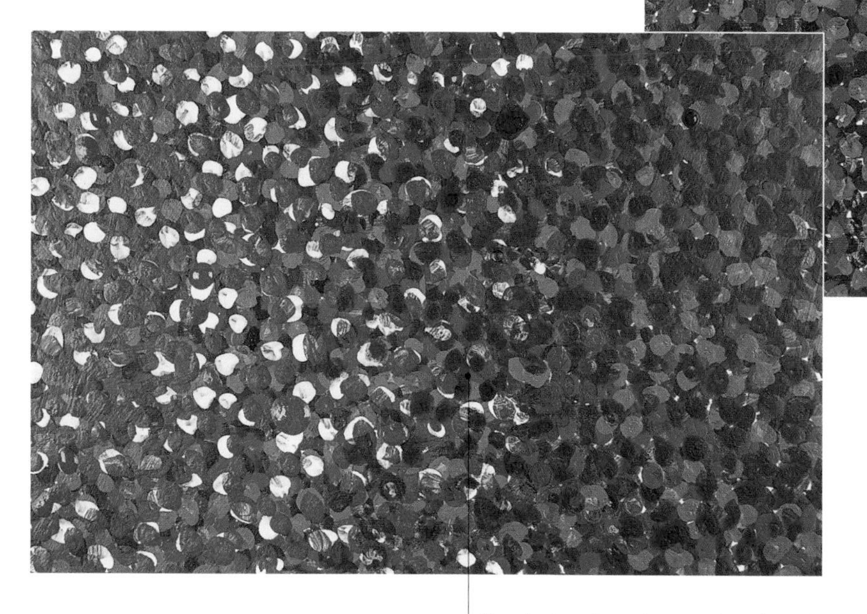

De près, les pois paraissent posés au hasard, mais, de loin, la transition du foncé vers le clair est très nette.

Les harmonies de couleurs

Vous pouvez composer des nuances plus élaborées en rapprochant des pois de couleurs d'un même camaïeu ou en optant pour des teintes proches sur le cercle chromatique.

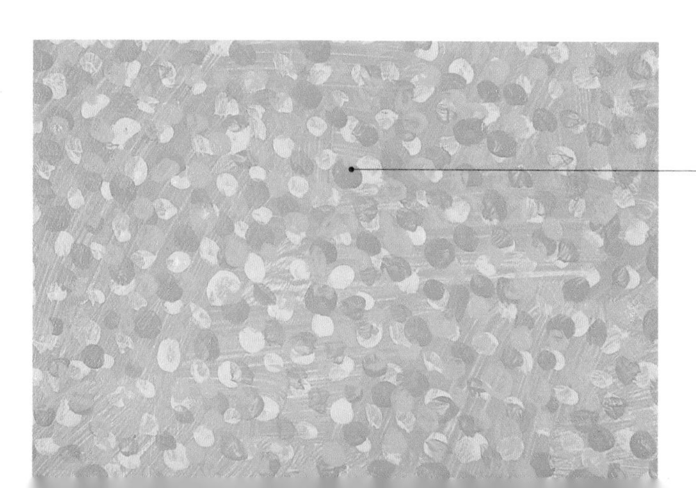

Afin de gagner du temps, appliquez grossièrement une première couche de couleur uniforme pour le fond.

Le sgraffito

Matériel

- Pinceau plat en soies de porc
- Peinture acrylique
- Eau
- Médium retardateur
- Couteau à peindre langue-de-chat
- Colour Shaper
- Raclette crantée
- Papier de verre

Le terme italien *sgraffito* désigne une technique qui consiste à gratter la peinture avec un ustensile pointu ou affûté pour ouvrir des motifs dans une couche de peinture afin de révéler la couleur de la couche précédente. Elle peut correspondre à une plage de peinture ou à la teinte du support. Le sgraffito convient bien aux tracés fins et aux motifs élaborés difficiles à effectuer au pinceau. Il permet aussi de modeler des effets de texture ou d'ajouter des rehauts dans le tableau. Il nécessite de grandes précautions, notamment à cause des outils très affûtés qui risquent d'entailler le papier ou la toile du support.

Les applications de peinture

1 Sélectionnez les couleurs sachant que la première couche transparaîtra sous la couche grattée. Si vous avez l'intention d'ouvrir une grande plage de couleur, soignez les premières touches car elles seront visibles.

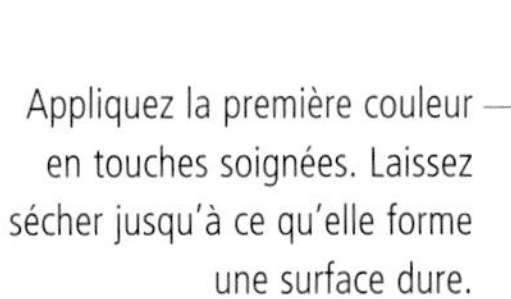

Appliquez la première couleur en touches soignées. Laissez sécher jusqu'à ce qu'elle forme une surface dure.

2 Appliquez une autre couche de peinture enrichie de médium retardateur, qui couvrira la première couche. Grattez la peinture selon l'une des méthodes proposées à la page suivante.

Vous appliquerez la peinture en empâtements épais (voir p. 42) ou en glacis (p. 38) et vous la manipulerez jusqu'à ce qu'elle commence à sécher.

Le couteau à peindre

Vous pouvez utiliser n'importe quel instrument. Ici, un motif linéaire a été dessiné dans la couche de bleu avec la pointe d'un couteau à peindre langue-de-chat. L'extrémité du manche d'un pinceau aurait donné des lignes plus larges. Si le résultat vous déplaît, il suffit d'essuyer les marques ou de repasser au pinceau par-dessus avant de recommencer.

La peinture humide est assez épaisse pour conserver la trace de l'instrument.

Le Colour Shaper

Essayez plusieurs outils afin d'évaluer les possibilités du sgraffito. Le Colour Shaper laisse des marques aux bords nets et précis, car la pointe en gomme prélève la peinture au lieu de la déplacer vers les côtés.

Afin que les marques restent nettes et précises, essuyez la pointe du Colour Shaper après chaque marque.

La raclette crantée

Les artistes, inventifs par nature, détournent souvent les ustensiles ordinaires pour s'en servir d'outils originaux. Ici, on a gratté la peinture avec une raclette à colle pour obtenir un motif répétitif. Pensez aussi aux vieux peignes, aux lames de scie cassée et tout autre objet donnant des effets particuliers.

Pour enrichir le motif, laissez sécher la peinture, appliquez une autre couche et grattez de nouveau.

Le papier de verre

Une variante du sgraffito consiste à poncer la peinture plutôt qu'à la gratter, une solution intéressante pour éclaircir une zone, introduire des reflets diffus ou animer une couleur uniforme en faisant apparaître les nuances de la couche précédente. Si la peinture est encore humide, frottez simplement au chiffon ; si elle est sèche, utilisez du papier de verre.

Retirez délicatement la peinture par endroits en frottant légèrement avec du papier de verre à grain moyen à fin.

Les impressions

Matériel

- Toile enduite ou support en fibres enduit de gesso
- Pinceau plat en soies de porc
- Rouleau
- Peinture acrylique
- Eau
- Médium retardateur
- Papier d'aluminium
- Papier bulle
- Toile grossière
- Tige de bambou
- Feuilles d'arbre
- Pâte de modelage

Les techniques d'impression renferment de nombreuses variantes qui permettent d'introduire une certaine originalité dans vos tableaux. Faciles à exécuter, elles produisent des effets très élaborés qui fascinent les spectateurs. Il s'agit généralement de maintenir un objet dans la peinture humide avant de le retirer pour ne laisser que son empreinte. Vous pouvez aussi badigeonner l'objet de peinture avant de le presser sur le support. La première solution permet de travailler également les reliefs en empâtements plus ou moins épais (voir p. 42) ; la seconde ne laisse qu'une marque plane mais plus précise. Il est également possible de réaliser l'empreinte dans de la pâte acrylique de modelage blanche avant de peindre par-dessus.

Le papier d'aluminium

1 Froissez et étalez délicatement le papier d'aluminium pour former une surface plane mais texturée. Appliquez une couche assez épaisse de peinture sur le papier en évitant de garnir les plis.

Pour éviter que la peinture ne sèche avant d'effectuer l'impression, incorporez du médium retardateur au mélange.

2 Posez la feuille d'aluminium, face peinte directement sur le support à imprimer. Au rouleau ou avec le côté de la main, lissez toute la surface du papier d'aluminium. Choisissez un plan de travail rigide afin d'exercer une pression régulière. Pour imprimer les toiles, placez-les sur un panneau en bois qui s'emboîte parfaitement dans le cadre (taille et épaisseur).

3 Vérifiez la progression du travail en soulevant délicatement un angle du papier d'aluminium. En fin de travail, retirez le papier d'aluminium.

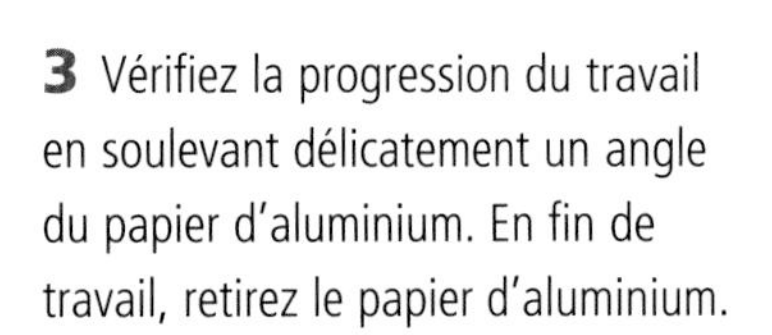

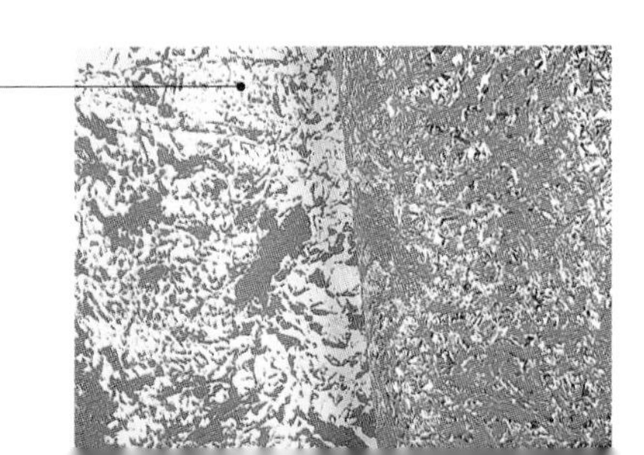

Ne faites pas glisser le papier d'aluminium sur le support ou vous risqueriez de modifier, voire d'effacer, l'empreinte.

4 Vous pouvez superposer plusieurs couleurs à l'aide de papier d'aluminium afin d'imiter, par exemple, la texture du sable sur la plage, les aspérités des rochers ou un vieux mur en stuc.

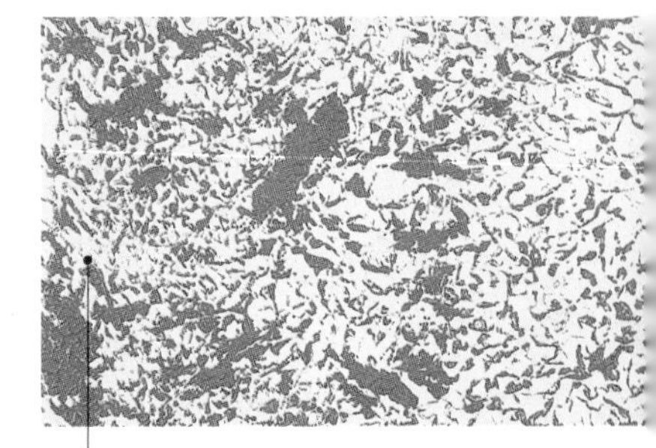

Laissez chaque empreinte sécher avant de poser d'autres couches de peinture.

La toile

Ici, l'artiste a utilisé de la toile (jute ou lin) grossière pour imprimer un panneau lisse en fibres de bois, préalablement enduit de gesso et recouvert de peinture jaune vif enrichie de médium retardateur.

Pour obtenir cette impression, l'artiste a lissé la toile avec le côté de la main.

Le papier bulle

Le papier bulle produit un élégant motif en alvéoles régulières. Peignez la face côté bulles. Appliquez-la délicatement sur le support. Frottez légèrement le papier et retirez-le en le soulevant.

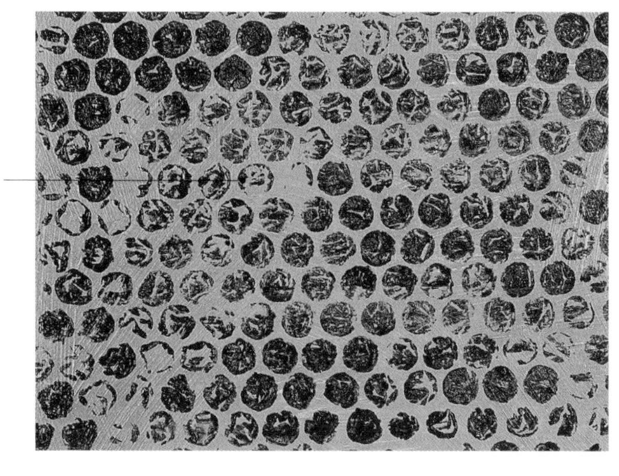

Il ne s'agit pas de produire une empreinte parfaite. D'ailleurs toute imperfection ajoute au charme de la technique.

Les tiges de bambou

De nombreux objets parmi ceux qui vous entourent, dans l'atelier ou dans la cuisine, donnent d'intéressantes empreintes. Ici, l'artiste a trempé l'extrémité d'une tige de bambou dans de l'acrylique épaisse et a recouvert toute la surface d'empreintes circulaires.

La consistance de la peinture est capitale : trop liquide, elle coule et l'empreinte perd en précision.

Les végétaux

Sélectionnez les feuilles en fonction de leur forme pour les imprimer directement. Ces feuilles imprimées en vert enrichiront un paysage ou une nature morte. Pensez aussi à imprimer des fleurs séchées ou des graminées pour introduire dans vos tableaux des effets de texture ou un certain réalisme.

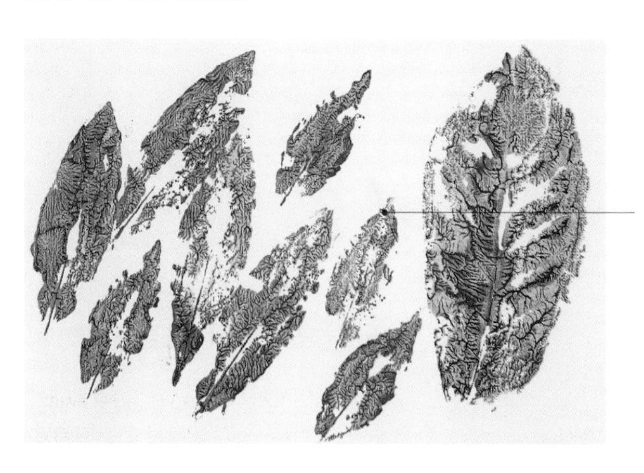

Si certains objets ne retiennent pas la peinture, frottez leur surface avec un peu de liquide vaisselle avant de les recouvrir de peinture.

La peinture au doigt

En fine couche, la pâte de modelage conserve les empreintes de doigts ou de tout objet comportant une face avec des motifs en relief.

Laissez sécher la pâte avant de poser une fine couche de peinture par-dessus.

La monogravure

Matériel

- Plaque de verre ou de plastique dur
- Peinture acrylique
- Eau
- Médium retardateur
- Pinceau plat en soies de porc
- Rouleau en mousse
- Couteau à peindre
- Feuille de papier à dessin fin

L'imprimerie professionnelle exige un équipement lourd et onéreux, alors que la monogravure est une technique maison amusante qui offre des résultats tout aussi intéressants. Au lieu d'imprimer une série de motifs identiques, la monogravure reproduit une seule image. Vous pouvez la garder telle quelle ou vous en servir comme point de départ d'un tableau. Le procédé est simple : il s'agit de peindre le motif à imprimer (matrice) sur une surface lisse (une plaque de verre, par exemple), de poser le papier par-dessus et d'appuyer avec la main ou avec un rouleau avant de retirer la plaque. En adhérant au papier de manière irrégulière, la peinture adopte une texture caractéristique.

1 Préparez les couleurs avec du médium afin de retarder le séchage. Cette préparation vous permettra de travailler plus vite par la suite.

La peinture doit être assez épaisse. La peinture trop liquide donne, en effet, une empreinte floue et imprécise.

2 Au pinceau, peignez le sujet sur une plaque de verre ou de plastique propre. Attention : l'empreinte sera inversée.

Évitez les touches trop épaisses ; les formes perdraient en précision au moment de presser la plaque sur le papier.

3 Retravaillez la matrice en retirant si nécessaire la peinture avec un objet adéquat. Ici, l'artiste a gratté certaines plages de peinture au couteau afin d'introduire des rayures.

Le couteau à peindre employé pour le sgraffito (voir p. 64) est utile pour manipuler la peinture en monogravure.

4 Corrigez le motif et ajoutez des couleurs tant que la peinture reste malléable.

Ici encore, les couches de peinture ne doivent pas être trop épaisses.

Passez délicatement la main sur toute la surface du papier pour faire adhérer la peinture.

5 Posez une feuille de papier assez fin sur votre création. À ce stade, la précision est essentielle : positionnez correctement le papier avant de le poser car vous n'aurez pas droit à l'erreur.

6 Une fois que vous êtes certain que l'image a bien été imprimée sur le papier, retirez-le délicatement.

Soulevez un angle du papier avant de le retirer et vérifiez que l'empreinte a bien été transférée.

7 Laissez sécher l'empreinte. Vous pouvez la conserver telle quelle ou utiliser les autres techniques de l'acrylique (voir p. 74, *Les techniques mixtes*) pour compléter le tableau. Si la peinture de la matrice n'est pas sèche, vous pouvez effectuer une seconde impression ; cette image plus floue que la première donne parfois d'excellents résultats. Une autre approche consiste à ajouter de la peinture sur la matrice afin de prendre une seconde empreinte, légèrement différente.

La texture irrégulière est caractéristique de la monogravure. Essayez de ne pas la corriger lorsque vous compléterez le tableau.

Les réserves à la cire

Matériel

- Peinture acrylique
- Pinceau plat en soies de porc
- Eau
- Bougie
- Cutter aiguisé
- Pinceau aquarelle à lavis
- Crayon cire
- Pastel gras
- Diluant pour peinture ou térébenthine

La technique des réserves participe du même principe que celle des masques (voir p. 50) : il s'agit de protéger certaines parties du tableau des applications de peinture. En revanche, les réserves sont définitives et font partie intégrante de la composition. Elles reposent sur l'incompatibilité de la graisse (cire) et de l'eau (peinture). En général, on emploie de la cire de bougie, des crayons cire, des pastels gras, des solvants minéraux (diluants pour peinture) ou de la résine (térébenthine). Cette technique classique de l'aquarelle exige avec l'acrylique des jus très dilués. Les peintures opaques et épaisses dissimulent, en effet, totalement la réserve sans glisser dessus. Le papier ou les panneaux de fibre enduits de gesso sont de bons supports pour cette technique.

La cire de bougie

1 Dessinez le motif à réserver à l'aide d'une bougie sur le panneau enduit de gesso. Le dessin doit être précis, car il restera visible sous la fine couche de peinture. Afin de mieux voir la cire transparente, inclinez le support en fonction de la source de lumière.

Taillez la bougie en pointe avec un cutter bien affûté.

2 Une fois le motif terminé, appliquez un fin lavis d'acrylique bien dilué avec de l'eau. La peinture doit avoir la même consistance qu'un jus d'aquarelle (voir p. 36, *Les lavis*).

Inutile d'appliquer un lavis trop uniforme. Les variations de ton rendent l'effet plus intéressant.

3 Laissez le lavis sécher sans aucun ajout ni modification. Les applications supplémentaires de peinture risquent de recouvrir le motif par endroits et d'en altérer la précision.

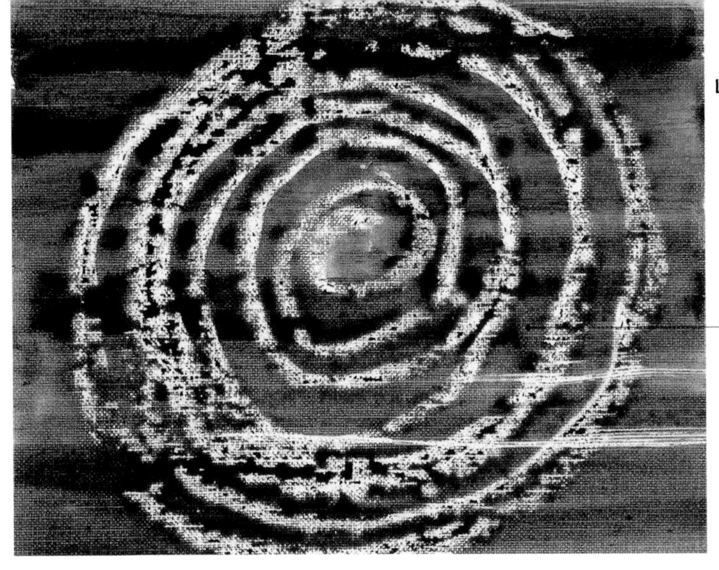

Si la cire n'est pas assez épaisse, la peinture peut dissimuler certaines parties du motif, mais les irrégularités font partie des caractéristiques de cette technique.

La térébenthine et le diluant pour peinture

Les solvants gras jouent également le rôle de repoussoir. Appliquez-les sur le support et laissez sécher avant de peindre. Cette méthode donne des résultats imprévisibles. Pour obtenir des résultats plus fiables, mélangez la couleur très diluée avec l'un des deux solvants.

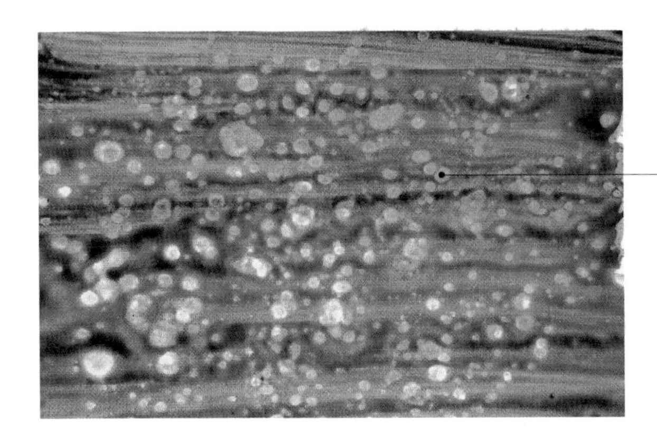

Les projections de térébenthine repoussent l'acrylique diluée à l'eau. La combinaison des deux crée des effets intéressants.

Les crayons cire

Les crayons cire fonctionnent pratiquement comme la bougie, mais permettent de mieux distinguer le motif lorsque vous le dessinez. En outre, la palette – au demeurant assez réduite – des crayons cire élargit le champ des possibilités et des effets de cette méthode.

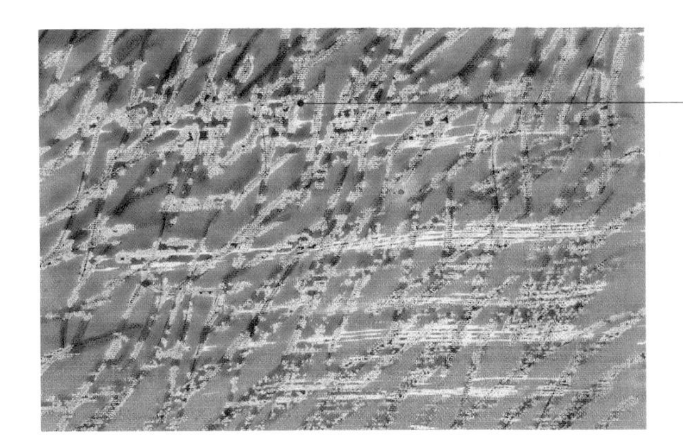

La couleur des crayons cire est relativement peu soutenue.

Les pastels gras

La palette des pastels gras est plus étendue. Elle est composée de couleurs vives et intenses donnant des effets plus tranchés. Contrairement aux pastels secs (craies), les pastels gras ne s'estompent pas lorsqu'on les frotte.

Les pastels gras repoussent la peinture à l'eau et donnent de meilleurs résultats que les crayons cire.

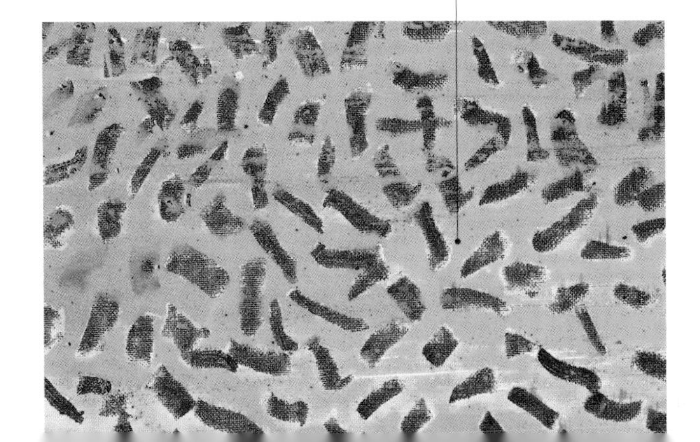

Le collage

Matériel

- Panneau en MDF ou en bois
- Peinture acrylique
- Médiums brillant et mat
- Eau
- Ciseaux
- Pinceau plat en soies de porc
- Gros pinceau plat en soies de porc
- Petit récipient pour les mélanges
- Papier de couleur
- Papier brouillon
- Poids pour maintenir le collage pendant le séchage
- Papier à aquarelle
- Papier de soie
- Sable

Les propriétés adhésives de la peinture et des médiums acryliques sont utiles pour le collage : il s'agit de fixer sur le tableau du papier, des photos ou un autre support imprimé, voire des objets grâce à des gels épais et des pâtes texturantes ou des pâtes de modelage (voir p. 23). Une fois les matériaux collés sur le support, laissez-les tels quels ou peignez-les s'ils présentent une surface poreuse qui le permet. Pour plus de facilité, optez pour un support rigide : papier cartonné ou papier épais. Si vous collez des objets plus lourds, comme le bois ou les coquillages, travaillez plutôt sur un panneau en bois ou en MDF bien enduit.

Le collage à l'acrylique

1 Avant de commencer, placez tout ce dont vous avez besoin à portée de main. Soyez toujours à la recherche de matériaux inédits à coller.

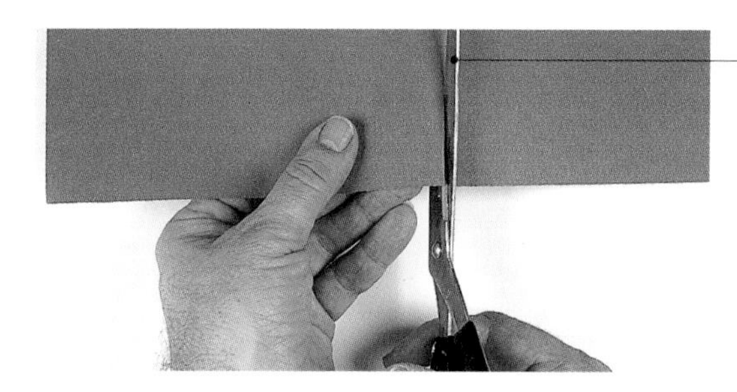

Découpez le papier aux ciseaux ou déchirez-le pour obtenir des bords irréguliers (voir p. 50, Les masques).

2 Étudiez la disposition des formes avant de les coller définitivement. Déplacez-les sur le support sec jusqu'à obtenir la composition souhaitée. Sur une feuille de papier brouillon, esquissez un croquis de la disposition des pièces. Ce croquis vous guidera au cours du collage. Retirez les pièces du support.

Déplacez les différents éléments jusqu'à ce que vous soyez satisfait de la composition.

3 Utilisez les médiums comme de la colle à papier. Badigeonnez le verso des éléments en papier.

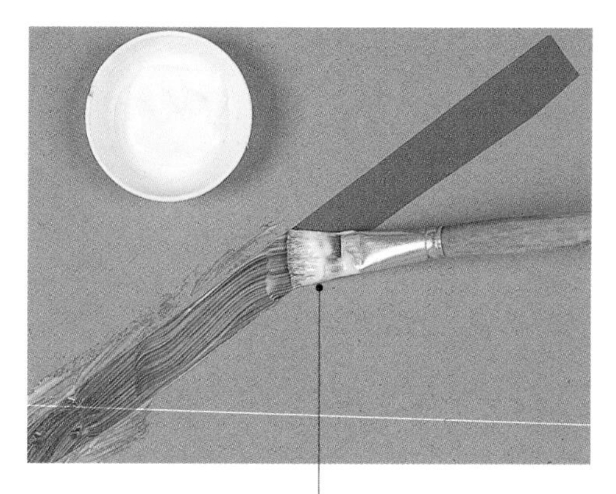

Les médiums acryliques mats ou brillants sont suffisamment adhésifs pour coller le papier, mais vous devrez recourir à des médiums en gel, plus épais, pour les matériaux plus lourds.

4 Placez les pièces encollées sur le support et appuyez pour les faire adhérer. Lorsque tous les éléments sont fixés, posez un panneau assez lourd par-dessus et lestez-le avec des livres ou des briques. Laissez sécher.

Une fois le collage terminé, laissez sécher avant de retravailler votre tableau.

Papiers artisanaux

Vous trouverez de nombreux modèles de papier dans le commerce, mais vous pouvez aussi les fabriquer afin de personnaliser votre travail. Peignez le papier avec des projections par exemple (voir p. 58) ou en travaillant à l'éponge (voir p. 48), ou encore en appliquant des glacis transparents (voir p. 38) ou de la peinture opaque (voir p. 40).

En décorant vous-même le papier, vous disposerez d'un nombre quasi infini de possibilités.

Le papier de soie et les tissus

Le papier fin et les tissus de coton légers absorbent les médiums acryliques et adhèrent facilement. Posez-les sur le support et donnez-leur une forme en les manipulant avec un pinceau à soies raides.

En séchant, l'étoffe fine durcit suffisamment pour être recouverte de peinture.

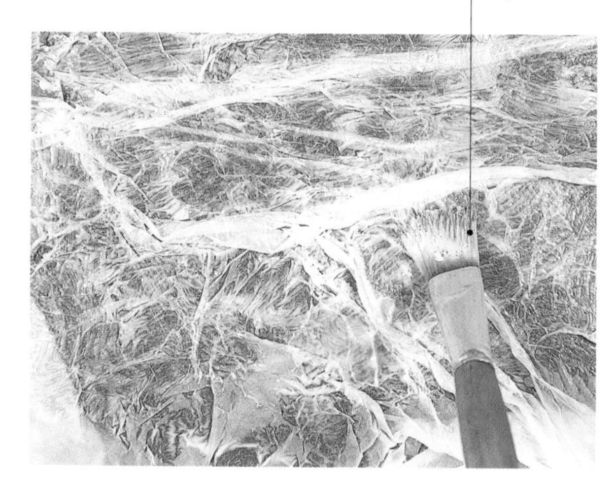

Les effets de matière

Utilisez du sable, du riz ou des lentilles pour donner de la texture à la surface. Saupoudrez-les sur une couche épaisse d'acrylique ou de médium.

Une fois sec, le médium acrylique devient transparent et ne laisse voir que le sable et les motifs peints.

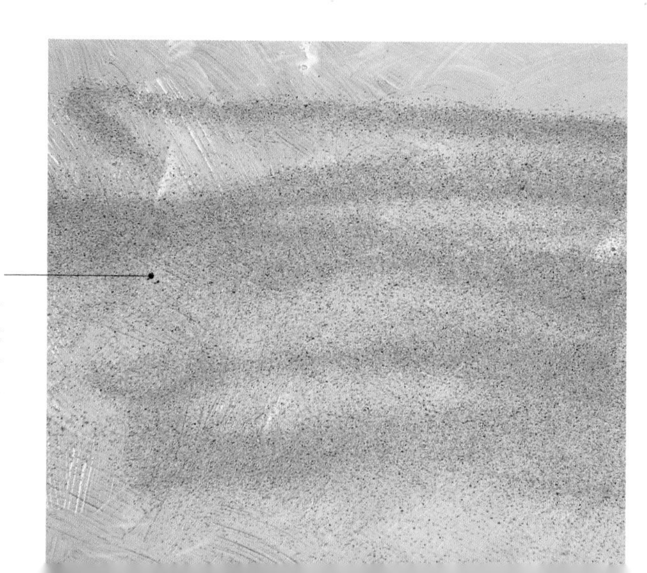

Les techniques mixtes

Matériel

- Peinture acrylique
- Pastels tendres ou durs
- Bâton de graphite
- Poudre de graphite
- Fusain
- Eau
- Médium acrylique
- Support à peindre
- Pinceau plat
- Fixatif

Tous les matériaux utilisés en peinture - pastels durs ou tendres, crayons de couleur, graphite, fusain, aquarelle et gouache - peuvent être associés à l'acrylique. La peinture à l'huile convient aussi à condition d'être appliquée sur l'acrylique sèche et non l'inverse. Vous pouvez déposer les autres matériaux sur ou sous l'acrylique, ou encore les incorporer à la peinture ou aux médiums. Gardez cependant à l'esprit que tout ce que vous incorporerez à l'acrylique, peinture ou médium, adoptera les mêmes propriétés qu'elle. Ainsi, ils deviendront stables en séchant et vous ne pourrez plus les manipuler de la manière qui leur est propre.

Acrylique et pastel

1 Appliquez une couche d'acrylique et dessinez au pastel dur ou tendre comme sur un support ordinaire.

Le pastel donne d'excellents résultats sur la finition texturée de l'acrylique.

2 Lorsque la composition vous convient, retravaillez le pastel avec de l'eau et des médiums acryliques. Ainsi, le pastel – qui n'est en fait qu'un pigment en poudre comprimé – se transforme en peinture. Une fois secs, le pastel et l'acrylique sont indélébiles.

Après séchage, vous pouvez retravailler le mélange pastel et médium en ajoutant d'autres touches de pastel ou de peinture, mais il n'est plus possible de l'étaler.

3 Ici, certaines parties ont été recouvertes d'acrylique. La peinture prélève le pastel qui n'a pas été préalablement mélangé avec du médium.

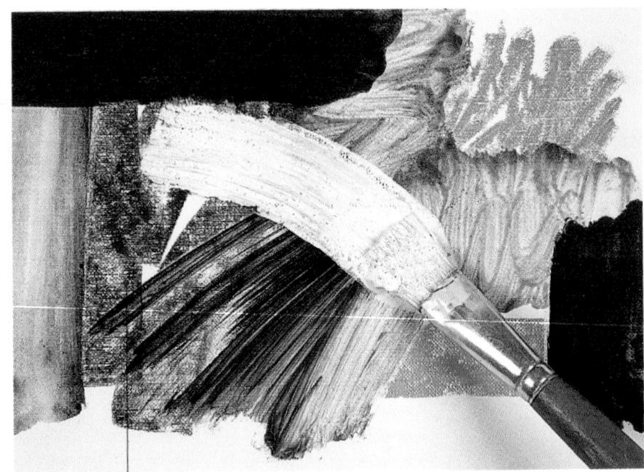

Si vous souhaitez préserver les effets du pastel, vaporisez un voile de fixatif au lieu d'ajouter du médium acrylique.

4 L'artiste a posé une autre couche de pastel sur la surface humide et mélangé le pigment avec la peinture acrylique et le médium (voir étape précédente).

Retirez l'acrylique au chiffon ou au papier absorbant avant séchage, sinon elle couvrira le pastel d'une pellicule et le rendra indélébile.

Acrylique et graphite

La mine de graphite permet de dessiner un motif assez élaboré. Travaillez sur une fine couche d'acrylique humide, en procédant comme pour la technique du sgraffito (voir p. 64).

Les mines de graphite n'ont pas toutes la même dureté. Les mines tendres donnent des marques plus foncées.

Acrylique et fusain

Le fusain est un matériau tendre, friable, à la consistance proche de celle du pastel. Manipulez-le comme le pastel et enrichissez-le d'acrylique ou de médium.

Servez-vous de fusain mélangé à du médium acrylique pour modeler les plages tonales du tableau avant de poser les couleurs.

Acrylique et poudre de graphite

La poudre de graphite, appliquée au chiffon ou du bout des doigts, enrichit l'acrylique. Il suffit ensuite de la modeler au pinceau.

Le mélange de poudre de graphite et de peinture acrylique donne un dégradé de gris.

Chapitre 3

Les réalisations

La réussite d'un tableau ne repose pas uniquement sur la technique, car aussi excellente soit-elle, elle n'est que l'outil qui vous permet d'exprimer votre créativité. Vous n'obtiendrez de bons résultats que si vous êtes capable d'analyser le sujet, de l'interpréter et d'en peindre votre propre vision. La peinture participe, en effet, autant de la réflexion et de la prise de décision que de la réalisation concrète. Un bon tableau est la somme de nombreux éléments et les aspects picturaux – couleur, tonalité et composition – méritent une attention constante tout au long de la réalisation.

La couleur

La perception des couleurs est relativement subjective, d'autant qu'elle dépend aussi de vos goûts et des connotations que vous associez à chaque teinte. En revanche, en peinture, la manipulation des couleurs obéit à des règles objectives que vous devez connaître pour exploiter au mieux ces couleurs. Ainsi, vous pourrez associer les couleurs en tubes pour obtenir exactement les nuances dont vous avez besoin, et vous serez à même de les juxtaposer sur le tableau pour qu'elles traduisent précisément votre propre vision artistique.

Le cercle chromatique
Lorsqu'on mélange les couleurs primaires (rouge, jaune, bleu), on obtient trois couleurs secondaires (vert, orange, violet). Si on mélange à leur tour les couleurs secondaires avec la couleur primaire voisine sur le cercle, on obtient les six couleurs tertiaires (rouge-orangé, jaune-orangé, jaune-vert, bleu-vert, bleu-violet et rouge-violet).

Une palette infinie
En continuant à associer les couleurs pour subdiviser le cercle, on obtient des centaines de couleurs. Et en jouant sur la nuance des trois couleurs primaires, on élargit encore la palette.

Les mélanges de couleurs primaires

Les couleurs primaires – rouge, jaune, bleu – doivent leur nom au fait qu'elles ne peuvent être préparées à partir d'autres pigments. Associées deux à deux, elles donnent les couleurs secondaires : rouge + jaune = orange, jaune + bleu = vert, bleu + rouge = violet. En mélangeant l'une de ces couleurs secondaires avec la couleur primaire voisine sur le cercle, vous obtiendrez une couleur tertiaire : rouge-orangé, jaune-orangé, jaune-vert, bleu-vert, bleu-violet et rouge-violet. Si vous continuez à associer chaque couleur avec sa voisine sur le cercle, vous obtiendrez ainsi des centaines de couleurs.

S'il est possible de réaliser d'innombrables tableaux uniquement avec du rouge, du jaune et du bleu, les trois primaires ne suffisent pas. Les nuanciers des fabricants de peinture comptent généralement au moins trois versions de chaque primaire en fonction de leur « température » (couleurs froides ou couleurs chaudes). Votre palette doit ainsi contenir au moins deux rouges, deux bleus et deux jaunes afin de vous offrir toutes les nuances possibles.

Les couleurs chaudes et les couleurs froides

Toutes les couleurs se mesurent aussi à leur température. Sur le cercle, les couleurs chaudes sont proches du rouge et du jaune, les froides proches du bleu. En peinture, la température des couleurs joue un rôle capital. En effet, les couleurs froides paraissent reculer dans le tableau, tandis que les chaudes avancent. Cet effet permet, par exemple dans un paysage, d'introduire une impression d'espace en posant des couleurs de plus en plus froides vers l'horizon. Toutefois, chaque couleur possède une version froide et une version chaude. Par exemple, le rouge de cadmium est plus chaud que l'alizarine cramoisie qui tend plutôt vers le bleu. Si vous peignez un objet d'une seule couleur, la version froide et plus foncée permet de modeler son volume en posant les ombres qui donneront l'impression que l'objet recule.

Les couleurs complémentaires

Les couleurs opposées sur le cercle chromatique (rouge et vert, jaune et violet, orange et bleu) sont dites « complémentaires ». Juxtaposées, elles produisent le contraste le plus intense, une astuce dont les peintres ne se privent pas, notamment lorsqu'ils ajoutent un élément rouge dans un tableau à dominante verte ou bleue. Paradoxalement, une fois mélangées dans les mêmes proportions, les couleurs complémentaires s'annulent, c'est-à-dire qu'elles donnent une couleur neutre. Cet effet est précieux en ce qu'il permet d'obtenir une gamme intéressante de gris, de bruns et de nuances tirant sur le noir. De plus, elles permettent d'assourdir ou de rabattre les couleurs vives. Par exemple, pour rabattre un vert trop vif, il suffit de lui ajouter une goutte de rouge.

Le choix de la palette

Une bonne palette se compose généralement de trois couleurs primaires dans leurs versions chaude et froide, ainsi que quelques secondaires et des bruns terre. Ajoutez du blanc et vous serez en mesure de préparer toutes les nuances voulues. Voici un modèle de palette qui vous permettra de mieux faire votre choix. Les couleurs indiquées en italique ne sont que des suggestions. La référence en chiffres, qui renvoie à la nomenclature Colour Index, permet de retrouver exactement chaque couleur (voir p. 18).

Blanc de titane (PW6)
Blanc opaque vif et net ; excellent pouvoir colorant.

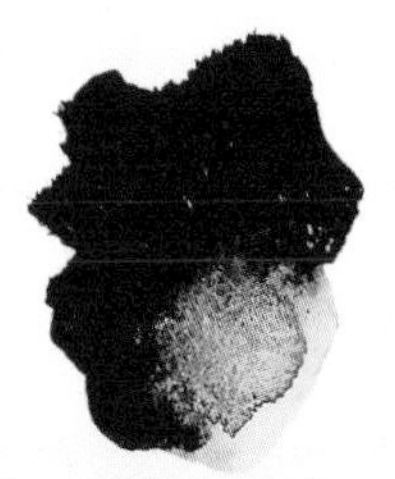

Rouge de cadmium (PR108)
Bonne opacité et pouvoir colorant ; parmi les diverses nuances, optez plutôt pour un ton moyen.

Alizarine cramoisie (PR83)
Rouge froid classique, plus transparent que le rouge de cadmium mais excellent pouvoir colorant.

Rouge de quinacridone (PR122)
Rouge très soutenu (à utiliser avec précaution); relativement transparent mais fort pouvoir colorant; souvent employé à la place des deux rouges précédents.

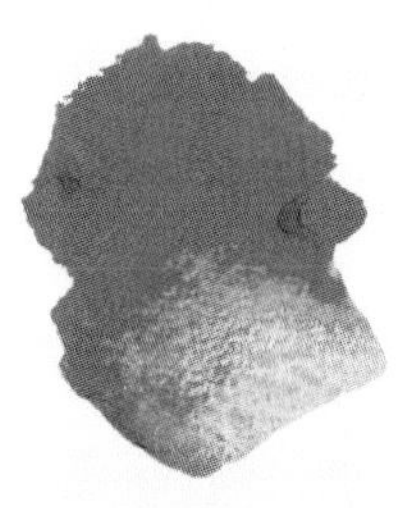

Ocre jaune (PY43)
Couleur de terre utile, opaque et à pouvoir colorant honorable.

Jaune de cadmium (PY37)
Plusieurs nuances (préférez le ton moyen) ; bon pouvoir colorant, se mélange bien avec les rouges pour donner toute une gamme d'oranges vifs.

Jaune citron (PY3)
Jaune froid, tirant sur le vert, qui se mélange bien avec les bleus pour donner du vert vif ; vendu sous diverses appellations, notamment jaune Hansa ou jaune primevère.

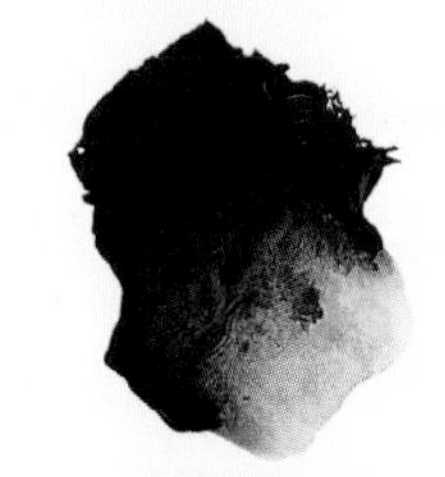

Bleu outremer (PB29)
Bleu transparent, chaud et soutenu, qui se mélange bien avec des rouges froids pour donner des violets vifs ou avec les jaunes froids pour donner des verts.

Bleu de céruleum (PB35)
Bleu froid assez dense à faible pouvoir colorant ; utile pour préparer des verts et facile d'emploi car il ne domine par les autres couleurs.

Bleu de phtalocyanine (PB15)
Bleu froid transparent, qui remplace souvent d'autres bleus; se mélange bien avec les jaunes et les rouges, mais son fort pouvoir colorant exige des précautions.

Vert émeraude (PG18)
Vert froid, transparent et vif, qui se mélange bien avec d'autres couleurs pour donner toute une gamme de verts ; avec de l'alizarine cramoisie, donne un bon « noir » qui peut être dilué avec du blanc pour donner des gris vifs.

Vert anglais ou de phtalocynanine (PG7)
Vert transparent puissant à fort pouvoir colorant ; souvent utilisé à la place du vert émeraude.

Violet brillant ou de dioxazine (PV23)
Violet brillant, très soutenu à bon pouvoir colorant ; excellent pour modifier d'autres couleurs.

Terre d'ombre naturelle (PBr 7)
Brun verdâtre soutenu, excellent pour modifier d'autres couleurs.

Terre d'ombre brûlée (PBr 7)
Brun intense et chaud, à teinte rougeâtre caractéristique ; se mélange bien avec les autres couleurs.

Gris de Payne (PB29/Pbk7)
Les fabricants proposent différentes versions de cette couleur très utile ; pouvoir colorant modeste, mais elle se mélange bien avec les autres couleurs.

La composition

La composition relève de la construction de l'ensemble du tableau. Les différents éléments doivent présenter un intérêt propre, être correctement répartis et montrer des proportions harmonieuses. Vous devez d'abord attirer le regard du spectateur à l'intérieur du tableau, puis le conduire à travers ses différentes parties sans confusion. La manière dont vous disposerez les formes, les couleurs, les tons et les textures, mais aussi dont vous créerez l'impression d'espace et de relief, vous aidera à atteindre cet objectif.

Une question d'équilibre
Ces trois compositions illustrent diverses manières d'équilibrer un tableau en jouant sur les couleurs, les volumes, les motifs et la disposition des éléments.

► Les couleurs et les volumes de droite équilibrent la présence des trois citrons de gauche.

▲ La petite taille, la position et la couleur du citron isolé détournent le regard de l'imposante masse des courges de gauche.

► Les volumes et les motifs de droite équilibrent la masse de la coupe de citrons de gauche.

▲ Un outil pour la composition
Le cadre aide à définir la composition en observant le sujet par la fenêtre. Ici, on a assemblé deux morceaux de papier cartonné en L avec des pinces de manière à ajuster la fenêtre selon plusieurs formats (carrés, rectangles et autres) pour étudier toutes les possibilités.

Le choix du format

Bien avant la première touche de peinture, la composition débute par le choix du format. Le format conditionne, en effet, à la fois la présentation et la manière d'aborder le sujet. Les formats carrés incitent l'œil à adopter un mouvement circulaire dans l'espace ou à aller d'un bord à l'autre. Dans le format vertical, l'œil se déplace de haut en bas et de bas en haut. Enfin, le format horizontal invite l'œil à se déplacer d'un côté à l'autre, latéralement. Les formats les plus courants sont le rectangle horizontal, ou « paysage », et le rectangle vertical, ou « portrait ». Dans le commerce, vous trouverez surtout des panneaux et des toiles rectangulaires, mais il suffit de fabriquer vous-même le support pour disposer exactement du format voulu.

Le sujet principal

L'élément principal du tableau n'est mis en valeur que si les autres éléments sont organisés de manière judicieuse, qu'il s'agisse d'une simple nature morte représentant une pomme sur une table ou d'un paysage élaboré comprenant de nombreux éléments. Il doit certes attirer l'œil, mais de manière suffisamment subtile pour ne pas détourner l'attention du spectateur des autres parties du tableau. En règle générale, votre démarche consistera à trouver un équilibre visuel, sans pour autant vous contenter de placer le sujet principal au centre de la composition.

L'équilibre et l'unité visuelle

En composition, il est souvent question d'équilibre et de symétrie, mais ces deux notions sont à distinguer. Lorsque les éléments sont disposés de manière symétrique, le résultat paraît artificiel et statique. En revanche, l'équilibre des éléments insuffle rythme et mouvement à la composition. Cet équilibre est rendu à l'aide de la répartition des couleurs, des formes et des textures. Par exemple, pour équilibrer un grand aplat de couleur uniforme, vous ajouterez une petite zone texturée ou une zone de même couleur mais de forme différente. De même, vous placerez deux petites oranges près d'un gros melon et un petit personnage à côté d'un imposant bâtiment.

Avec l'expérience, vous apprendrez à jouer ainsi sur les formes et sur les couleurs de manière à relier les différentes parties de la composition qui apparaîtront alors comme un tout. Dans un paysage, par exemple, un petit arbre au plan moyen pourrait faire écho à un arbre plus gros mais de même forme, au premier plan. De même, jouez sur les échos de couleurs comme les peintres de paysages qui reprennent dans les ombres quelques touches de la couleur du ciel.

La règle des tiers

Il est difficile de choisir la position des éléments du tableau, mais, au fil des siècles, les artistes ont mis au point des règles qui permettent de satisfaire aux lois de la composition. La plus célèbre, celle du « nombre d'or », a été élaborée par le mathématicien Euclide. Elle divise le support en deux rectangles inégaux, les proportions du petit rectangle par rapport au grand étant les mêmes que celles du grand rectangle par rapport au tableau. La « règle des tiers » s'en inspire en la simplifiant. Divisez le tableau en tiers, horizontalement et verticalement. Sélectionnez certaines de ces divisions (n'importe lesquelles) et leurs points d'intersection : c'est là, ou à proximité, que vous placerez les éléments importants. Ce principe s'applique à presque tous les sujets.

◄ **Grille de cadrage**
Afin de faciliter le choix du format, préparez une grille pour diviser le sujet en tiers. Découpez un rectangle de papier cartonné. Prenez quatre élastiques et placez-les sur la fenêtre de manière à ce qu'ils la divisent en tiers.

La mise en scène

Lorsque vous préparez une nature morte, commencez par disposer les objets en les déplaçant ou en modifiant le fond de manière à obtenir la meilleure composition possible. Cette démarche est bien entendu impossible pour un paysage, et dans ce cas, les modifications n'interviennent qu'au moment de la réalisation du tableau. Vous devrez alors exécuter plusieurs ébauches pour explorer les possibilités de format et de composition. Réfléchissez au style de composition que vous souhaitez. Les compositions ouvertes évoquent le monde au-delà du tableau, et certains éléments, en haut, en bas ou sur les côtés, peuvent être tronqués comme s'ils se prolongeaient en dehors du tableau. Elles sont souvent employées pour les paysages et les tableaux de fleurs, mais elles sont aussi utiles pour les portraits. Dans les compositions fermées, tous les éléments sont entièrement contenus dans le tableau.

▼ **Les études préalables**
Les croquis permettent d'étudier les diverses possibilités de composition en modifiant l'emplacement des éléments jusqu'à ce que l'ensemble soit satisfaisant. Exécutez-en plusieurs avant de commencer le tableau. Ces études constitueront par ailleurs d'excellents exercices de dessin, voire un bon entraînement aux techniques de la peinture acrylique.

La perspective

Créer l'illusion de volume sur un support en deux dimensions grâce à la perspective est l'un des grands défis de la peinture. Les règles de la perspective linéaire, établies au XVe siècle par les artistes italiens, se fondent sur le fait que plus les objets s'éloignent, plus leur taille semble diminuer. Par ailleurs, la perspective aérienne repose sur l'impression que, vus de loin, les couleurs paraissent plus claires et plus froides, les détails moins nets et les contours plus flous.

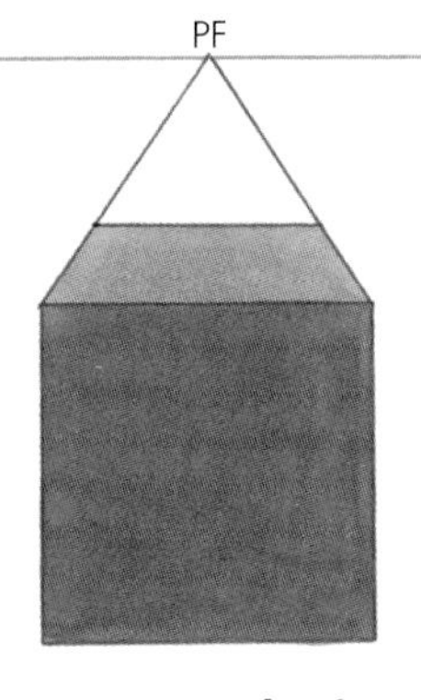

▲ **Perspective à un seul point de fuite**
La composition ne comporte qu'un seul point de fuite vers lequel toutes les droites de perspective du tableau convergent.

▲ Dans ce croquis, la perspective à un seul point de fuite permet de suggérer que les champs s'étendent vers l'horizon.

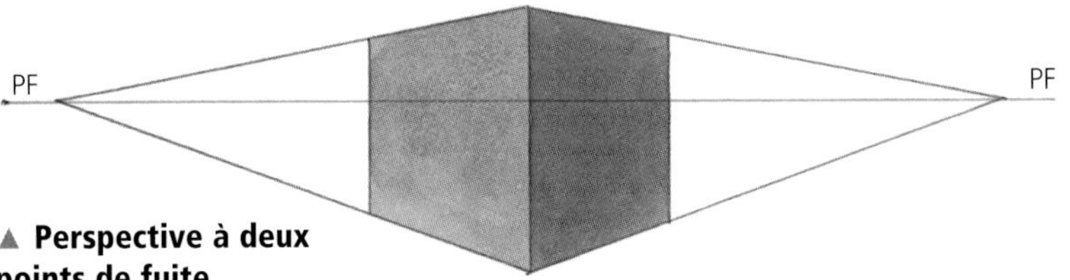

▲ **Perspective à deux points de fuite**
Elle intervient lorsque les deux faces d'un même objet forment un angle différent : les deux séries de droites s'éloignent du spectateur vers deux points de fuite différents.

► Ce croquis illustre la manière dont la perspective à deux points de fuite permet d'orienter la maison et de placer les portes et les fenêtres. Attention : la perspective n'est qu'un guide ; dans la réalité, les lignes droites ne sont pas toujours rectilignes.

La perspective linéaire

Si les techniques de la perspective linéaire sont difficiles à maîtriser, les règles de base en sont très simples. Lorsque vous saurez les utiliser, vous serez capable de réussir des tableaux bien construits et de rendre la notion d'espace de façon convaincante. La perspective linéaire ne s'applique pas seulement aux bâtiments et aux autres constructions géométriques, dans une certaine mesure elle concerne tous les éléments visibles. Toutes les parallèles fuyantes (réelles ou imaginaires) qui partent du premier plan du tableau convergent vers un point situé sur la ligne théorique de l'horizon. Cette règle se fonde également sur l'impression que les objets paraissent plus petits lorsqu'ils sont distants, de même que l'espace qui les sépare, ce qui fait que l'intervalle entre les parallèles fuyantes paraît également de plus en plus petit, jusqu'à disparaître en un seul point.
En perspective, la ligne d'horizon est toujours située à hauteur des yeux, et elle dépend donc de votre position par rapport à la scène. Toutes les droites de perspective qui partent au-dessus de la hauteur des yeux descendent vers la ligne d'horizon et le point de fuite ; et toutes celles qui partent au-dessous de la hauteur des yeux montent vers la ligne d'horizon. Ainsi, le choix de la hauteur du regard conditionne toute la composition. Si la ligne d'horizon est basse, le spectateur aura l'impression de regarder la scène de haut ; si elle est haute, il aura l'impression de la regarder d'en bas.

Le point de fuite

La forme la plus simple de perspective linéaire est celle à un seul point de fuite où toutes les droites de perspective convergent vers un seul point situé directement en face de vous. En revanche, si le sujet présente deux faces formant des angles différents,

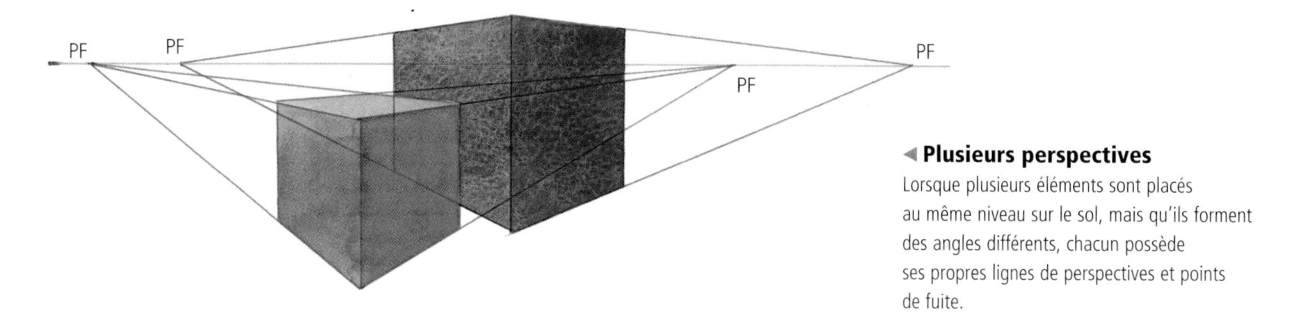

◄ **Plusieurs perspectives**
Lorsque plusieurs éléments sont placés au même niveau sur le sol, mais qu'ils forment des angles différents, chacun possède ses propres lignes de perspectives et points de fuite.

leurs droites convergent vers deux points différents, l'un à droite et l'autre à gauche du sujet. Enfin si la scène comporte plusieurs éléments inclinés différemment, chacun possède son propre point de fuite, mais tous les points de fuite seront situés sur la même ligne d'horizon.

La perspective aérienne

La perspective aérienne se fonde sur un effet optique : les éléments paraissent non seulement plus petits lorsqu'ils s'éloignent, mais aussi plus flous et moins contrastés. Cet effet est dû à la présence dans l'air de gaz, d'humidité et de poussières qui forment un voile entre l'observateur et le lointain. Les couleurs sont également plus froides et plus bleues, de sorte que même les couleurs chaudes, comme le rouge, l'orange ou le vert vif, ne sont plus aussi intenses qu'au premier plan. Cet effet est particulièrement précieux pour la représentation de paysages. En effet, les droites fuyantes ne suffisent pas toujours à installer l'impression de perspective. Vous pouvez certes rendre la notion d'espace en jouant sur les proportions des éléments du premier plan, du plan moyen et du lointain, mais la perspective aérienne permet de renforcer l'impression, et ce même dans un espace réduit. Il suffit de peindre les arbres du plan moyen, légèrement plus petits, dans une nuance plus froide et avec des contrastes de tons moins marqués que les mêmes arbres au premier plan.

La perspective des ciels

Les règles de la perspective linéaire et aérienne s'appliquent également aux ciels. Considérez le ciel comme une coupe inversée dont le bord correspondrait à l'horizon. Les nuages, qui sont très éloignés, paraissent alors plus petits et plus flous que les nuages situés en haut du tableau, c'est-à-dire juste au-dessus de vous. De même, les ciels clairs seront plus pâles à l'horizon, d'un bleu presque blanc, voire tirant très légèrement sur le vert.

▼ **Vue d'en haut et vue d'en bas**
Les droites de perspective qui partent au-dessus de la hauteur des yeux descendent vers le point de fuite ; les droites qui partent au-dessous de la hauteur du regard montent vers le point de fuite.

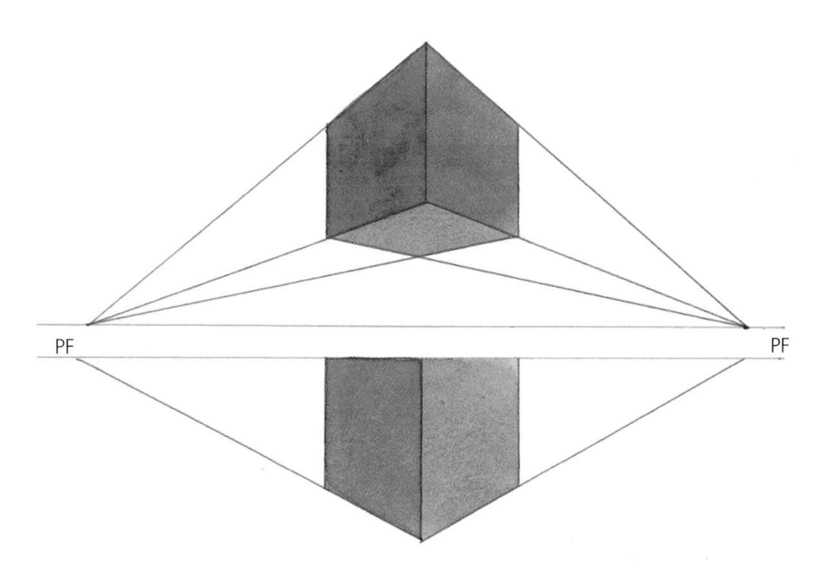

◄ **Perspective aérienne**
Dans cette illustration de la perspective aérienne, les détails sont plus précis au premier plan, et les couleurs plus chaudes. En progressant vers l'horizon, les couleurs deviennent plus froides, les contrastes sont moins marqués et les détails moins précis.

La texture et le motif

Le peintre dispose de trois moyens pour représenter ce qu'il voit : la couleur, le ton et la texture. Cette dernière joue un rôle important dans la composition, car elle permet, comme le motif, d'attirer le regard du spectateur et de le guider à travers le tableau. En outre, les textures et les motifs constituent d'excellents recours pour équilibrer l'impact des plages uniformes de couleur vive ou des zones ornées de détails complexes. Enfin, la texture et le motif contribuent à évoquer les volumes et les reliefs de manière plus réaliste. Par exemple, pour représenter l'écorce d'un arbre, la touche du pinceau imitera les fibres du bois et la précision des traits diminuera de manière à rendre la courbe du tronc. De même, pour la représentation d'un pré, variez la direction des touches et vous restituerez les ondulations que le relief imprime à la terre. Pensez aussi à ajuster les motifs d'une étoffe de façon à mettre en évidence les plis du drapé.

Textures en trompe l'œil

Les effets de texture

La texture est obtenue de deux façons. La méthode traditionnelle consiste à utiliser des techniques et des effets visuels avec des aplats de couleur pour créer une illusion. Il suffit alors de reprendre avec l'acrylique toutes les techniques employées avec l'aquarelle, la peinture *a tempera* et, dans une certaine mesure, les huiles : projections, éponge, brosse sèche, frottis ou glacis (voir p. 30 à 75). La seconde méthode consiste à modifier la texture même de la peinture de manière à introduire de véritables reliefs : empâtements sculptés au couteau ou au pinceau, sgraffito, pâtes texturantes et pâte de modelage, collages, etc.

Pour représenter les surfaces lisses telles que le verre, l'acier ou le chrome, appliquez l'acrylique en fins lavis ou en glacis, ou encore posez la peinture épaisse en passes lisses ou en la lissant au couteau. Les projections, les frottis, la peinture à l'éponge et les techniques d'impression permettent de figurer des surfaces au demeurant planes mais présentant de légères aspérités.

Pour les textures plus linéaires et les motifs (le tissu, l'écorce d'un arbre, les plumes ou les cheveux), peignez avec un pinceau sec ou en sgraffito, ou appliquez des empâtements avec des pinceaux en soies raides.

Textures en reliefs

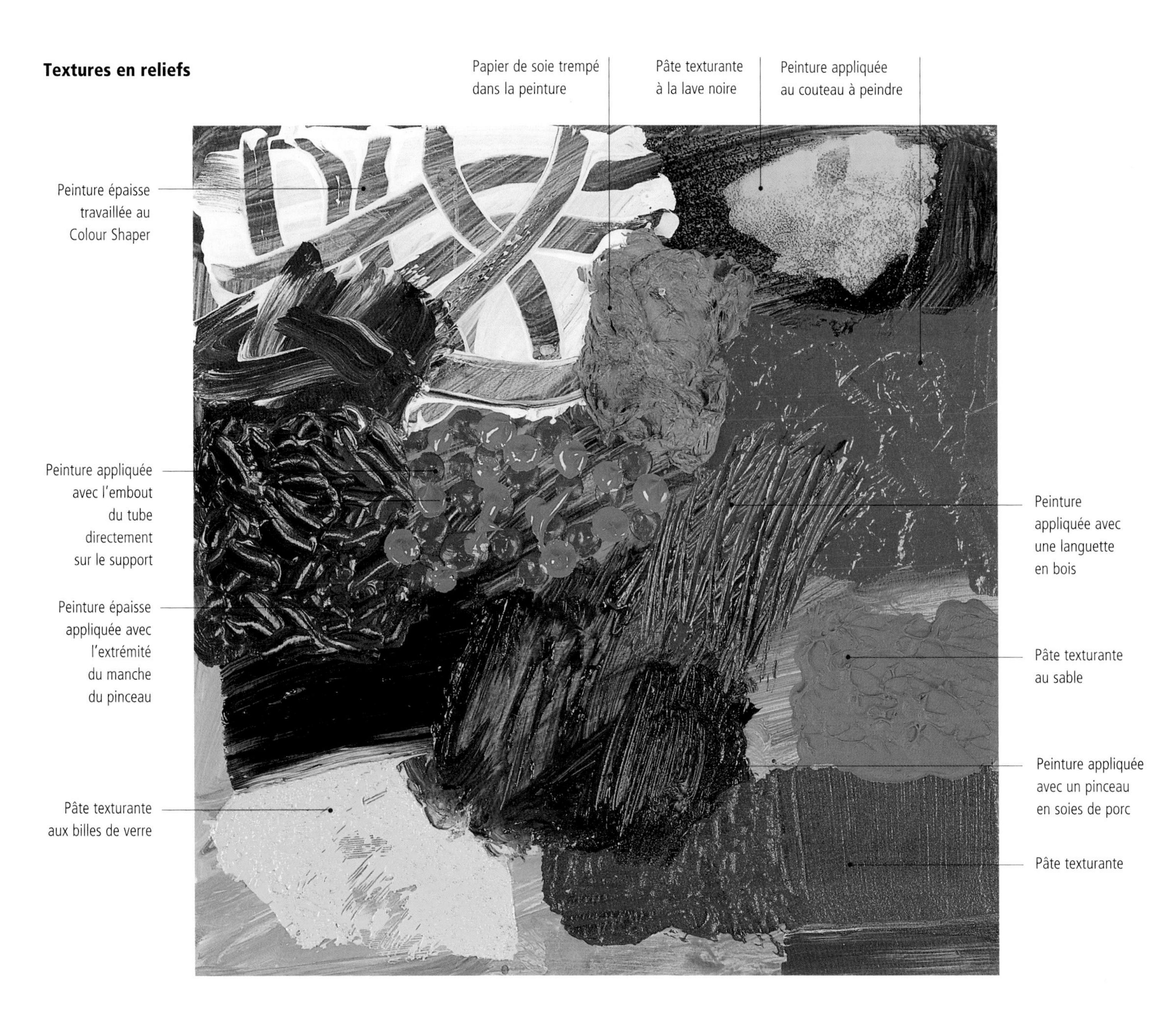

Les supports

La finition du support conditionne votre style et les techniques employées et, dans une certaine mesure, contribue à la réussite du rendu des textures. Si vous vous lancez dans un paysage en empâtements manipulés au couteau, optez pour une toile épaisse dont le grain rugueux transparaîtra sous les touches plus fines d'acrylique, enrichissant d'autant l'effet final. Si vous travaillez en lavis dilués, le grain rugueux d'un papier épais donnera également de la texture à votre tableau. N'hésitez pas à essayer diverses possibilités en associant supports et techniques pour découvrir ceux qui conviennent le mieux à votre projet. Inventez aussi des effets de texture en préparant le support. Posez par exemple une sous-couche au couteau car les reliefs des marques demeureront visibles sous les autres couches d'acrylique.

La lumière et le ton

La couleur et le ton d'un objet reposent entièrement sur la qualité et l'intensité de la source de lumière qui l'éclaire. À travers un prisme, la lumière blanche se décompose en sept couleurs : rouge, orange, jaune, vert, bleu, indigo et violet. L'œil perçoit les couleurs parce que les ondes lumineuses sont réfléchies ou absorbées par les objets. Ainsi, une cerise paraît rouge parce que sa surface réfléchit les ondes rouges et absorbe les autres ondes lumineuses du spectre.

▲ Le ton local
Le contraste entre les citrons et la pomme met en évidence les différences de tons, tant sur la photo en noir et blanc (ci-dessus) que sur le tableau (à droite).

Le ton

En peinture, la notion de ton renvoie à la clarté ou à l'obscurité d'une couleur sans tenir compte de sa teinte. Le côté éclairé d'un objet a un ton plus clair que le côté situé dans l'ombre, et un dégradé progressif fait le lien entre les deux. C'est dire si le ton joue un rôle capital dans la représentation des volumes ! Si vous placez correctement les tons, les formes représentées sur votre tableau se distingueront clairement ; dans le cas contraire, il sera difficile sinon impossible de les discerner. Chaque couleur possède par ailleurs un ton local : par exemple, le ton du jaune est clair tandis que celui du bleu de Prusse est foncé. Selon la source de lumière, même les objets de couleur claire présentent des variations non négligeables de ton et, dans les zones d'ombre, le ton peut être si foncé qu'il devient parfois impossible de distinguer la couleur même de l'objet. Clair et foncé sont indissociables, et plus la source de lumière est intense, plus les ombres sont foncées.

Dans la réalité, il existe des milliers de tons entre le foncé et le clair, et si l'œil n'en perçoit qu'une partie, ils offrent cependant un dégradé impressionnant. En peinture, si vous essayez de reproduire tous les tons de la réalité, votre tableau risque de paraître confus et terne. C'est pourquoi il vaut mieux les simplifier. Commencez par définir les plages sombres et les plages claires, puis les plages de tons moyens. Un excellent exercice consiste à peindre des études de nature morte avec seulement ces trois valeurs tonales. Au fil de la progression du tableau, vous enrichirez l'échelle des tons moyens afin que chaque élément présente une forme distincte au sein d'un ensemble cohérent.

La lumière naturelle et artificielle

Comme elle conditionne la répartition des tons, la source lumineuse joue un rôle important. En atelier, il est facile de modifier la direction et l'intensité de la lumière, mais, à l'extérieur, cela n'est guère possible. Si la plupart des artistes préfèrent travailler à la lumière naturelle, ils doivent tenir compte de ses changements incessants, sauf s'ils ont la chance de disposer d'un atelier exposé au nord. La lumière du nord (dans l'hémisphère nord) est, en effet, plus constante, et ce en toute saison et par tous les temps. La lumière artificielle, quant à elle, est à la fois constante et facile à modifier. Vous trouverez dans le commerce des lampes à lumière naturelle ; évitez les ampoules au tungstène qui émettent une lumière jaunâtre assez chaude.

▲ **Effets de volume**
Sans clairs ni obscurs, le disque de couleur évoque une forme plaquée sur le tableau. C'est la répartition des tons en fonction d'une source de lumière donnée qui donne du volume à la forme.

Les contrastes de tons

La notion de contraste évoque la différence entre le clair et le foncé. Plus la lumière est forte, plus les contrastes sont nets et moins le dégradé des tons est subtil.
Les objets éclairés par une source de lumière directe (projecteur, par exemple) affichent ainsi des reflets clairs, presque blancs, et des ombres très foncées ; le tableau correspondant présentera des couleurs vives et nettes, et souvent une profondeur et une qualité graphique caractéristiques.
Lorsque le sujet est éclairé par une source lumineuse uniforme mais indirecte, comme celle d'un ciel couvert, les contrastes de tons risquent d'être insuffisants pour évoquer les volumes et préciser les détails, et les différences de couleurs se feront plus discrètes. Toutefois, ce type d'éclairage donne parfois d'excellents tableaux de paysages.
La tonalité des couleurs conditionne en outre l'atmosphère même du tableau. Les tableaux de couleurs vives suggèrent fraîcheur et gaieté, et une humeur optimiste s'en dégage. Ils reposent sur une échelle tonale simplifiée tirant vers les valeurs claires, parfois sans aucune valeur sombre, et des teintes vives.
Ce genre de tableau d'apparence simple pose de grandes difficultés dans le choix des couleurs ; elles ne doivent pas jurer et, pour conserver leur vivacité, composer une harmonie soigneusement élaborée. Les tableaux de tonalité sombre suggèrent une humeur plus pessimiste rendue par le côté foncé de l'échelle tonale. Les tons moyens sont plus foncés que dans la réalité, et les tons clairs, assez rares, participent d'un choix mûrement réfléchi.

▲ **Lumière vive**
La qualité de la lumière affecte non seulement les couleurs et les tons du tableau, mais aussi son atmosphère. Ici, la lumière directe compose une scène claire, avec un fort contraste entre les tons clairs et foncés, qui évoque une belle journée d'été.

◄ **Contrastes de tons**
En élargissant la gamme des tons, notamment au niveau des tons moyens, vous obtiendrez un tableau peu contrasté qui évoquera par exemple un ciel chargé de nuages un jour de pluie.

Les projets

Ce chapitre vous propose de mettre en pratique les techniques décrites dans la première partie de l'ouvrage. Vous y trouverez ainsi dix sujets de tableaux accompagnés de photographies et d'instructions décomposées étape par étape. Pour chaque projet, une liste indique les couleurs conseillées pour la peinture acrylique, les médiums et le matériel nécessaire, ainsi que les techniques utiles pour réussir l'exercice.

Bateaux de pêche

Couleurs et médiums

1 Bleu outremer
2 Gris de Payne
3 Terre d'ombre naturelle
4 Jaune de cadmium
5 Bleu de céruleum
6 Jaune citron
7 Rouge de cadmium
8 Ocre jaune
9 Vert émeraude
Médium retardateur

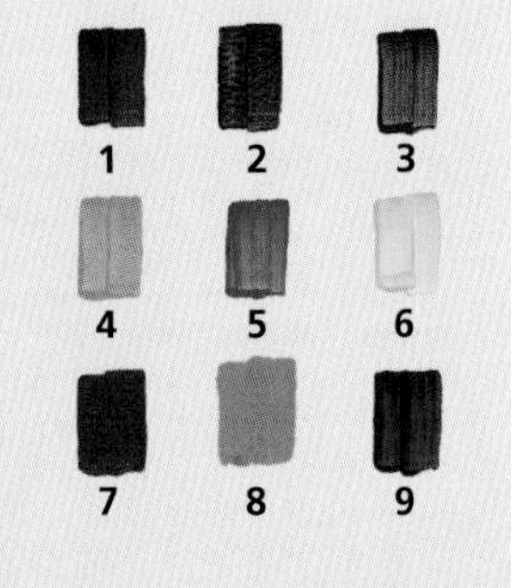

Matériel

Papier à aquarelle pressé à froid de 300 g au moins (55 x 38 cm)
Crayon HB
Pinceau rond en martre de taille moyenne
Pinceau éventail en soies de porc
Pinceau plat en soies de porc (assez nerveux) de 2,5 cm
Pinceau à filet
Éponge naturelle

Techniques

La préparation des couleurs (34)
Les lavis (36)
La peinture à l'éponge (48)
Les masques, (50)
Les projections (58)
La composition (80)
La perspective (82)

Vous pouvez travailler l'acrylique comme l'aquarelle, en diluant les couleurs avec de l'eau pour les éclaircir. Comme à l'aquarelle, vous construirez alors le tableau en superposant les aplats de couleur fins et translucides ou lavis, et chaque lavis supplémentaire modifiera légèrement le précédent. Vous utiliserez ainsi la plupart des techniques classiques de l'aquarelle, y compris les touches à la brosse sèche ou à l'éponge. L'emploi de pigments très dilués donne des teintes vives et fraîches, mais le nombre de couches ne doit pas dépasser trois ou quatre.

1 Définissez la composition selon la « règle des tiers » (voir p. 81) : dessinez trois bateaux sur le tiers inférieur du tableau en plaçant le plus gros à droite. Tracez la ligne d'horizon au niveau du tiers supérieur du support. La composition doit inciter le regard du spectateur à effectuer un mouvement circulaire à l'intérieur du tableau.

Ébauchez un croquis assez précis du sujet afin de poser les premiers lavis sans erreur. La technique n'autorise guère les corrections, *a fortiori* lorsque les jus sont secs.

2 Au pinceau en martre, appliquez un mélange gris-bleu clair (bleu outremer et gris de Payne) sur la coque des bateaux. Peignez ainsi les ornements bleus, les ombres que chaque bateau projette sur son voisin, et les détails du bateau de gauche. Ajoutez un peu d'eau pour éclaircir le jus et peignez la partie à l'ombre de la cabine du gros bateau (à droite).

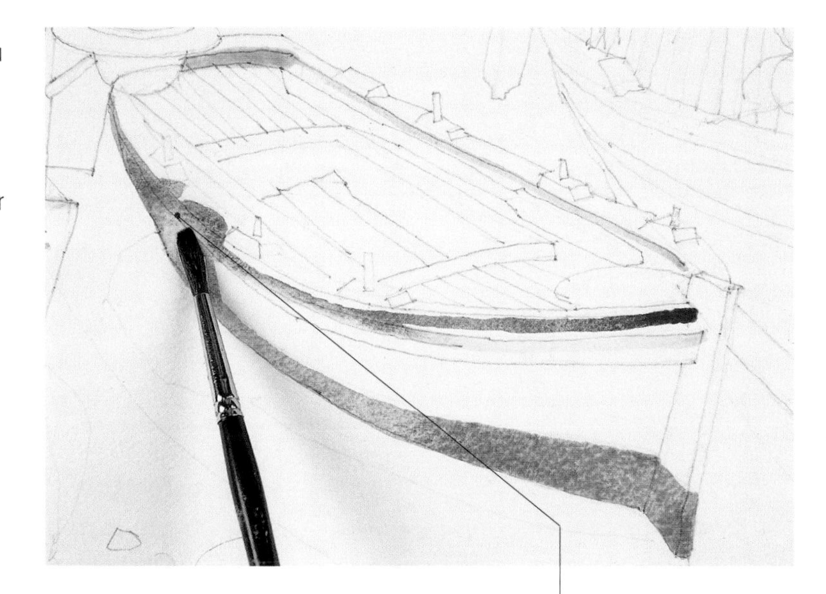

Avant de laisser sécher le lavis, posez une goutte d'eau claire avec le pinceau pour éclaircir certaines parties.

3 Préparez un jus brun clair (terre d'ombre naturelle et jaune de cadmium) pour peindre le pont de chaque bateau, les rames et la proue du gros bateau.

Peignez le seau avec une touche de gris très dilué pour que la teinte ne contraste pas trop avec celle du pont.

4 Préparez un mélange de bleu de céruleum et de bleu outremer enrichi de médium retardateur. Inclinez légèrement la planche à dessin vers le bas afin que le jus coule lentement sur le papier. Peignez le ciel en posant une bande sur la ligne d'horizon et en recouvrant la partie correspondant à la mer. Veillez à préparer suffisamment de jus pour ne pas en manquer en cours de travail, notamment pour les grandes surfaces.

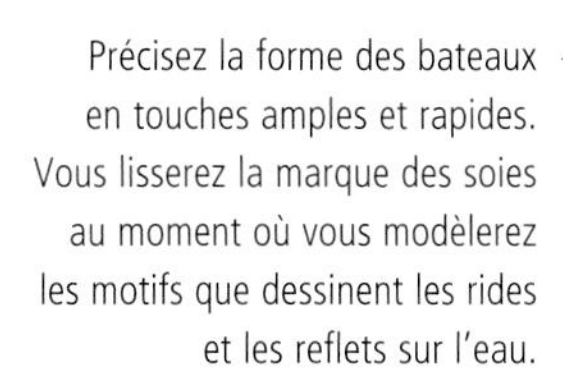

Précisez la forme des bateaux en touches amples et rapides. Vous lisserez la marque des soies au moment où vous modèlerez les motifs que dessinent les rides et les reflets sur l'eau.

5 Laissez sécher les lavis bleus. Posez une bande de bleu de céruleum sur le côté du petit bateau de gauche. Mélangez ensuite ce bleu avec un peu de jaune citron pour obtenir un vert clair, et peignez le pont du bateau du milieu. Posez une rayure de jaune de cadmium sur les deux flancs de la coque du gros bateau ; sur la droite, à l'endroit où la coque est dans l'ombre, foncez le jus avec une goutte de terre d'ombre naturelle. Laissez sécher. Peignez la rayure en rouge de cadmium.

Pour obtenir des aplats aux bords nets et précis, laissez sécher la couleur des zones voisines avant d'appliquer le jus pour éviter que les pigments ne se mélangent.

Pour rendre le côté à l'ombre, foncez le jaune, puis le rouge avec une pointe de gris de Payne.

6 Préparez un jus bleu-vert soutenu pour les rames et pour les ombres du pont du bateau du milieu. Préparez du noir (terre d'ombre naturelle et gris de Payne) pour peindre les zones foncées de l'intérieur des petits bateaux et le lamparo de la proue du bateau de gauche.

Laissez sécher chaque couche avant d'appliquer la suivante : il s'agit de travailler sur fond sec.

Laissez apparaître le blanc du papier pour évoquer les reflets de lumière sur le métal de la lampe.

7 Passez aux détails du gros bateau. Peignez le treuil avec un jus composé de bleu outremer et de gris de Payne. Pour l'ancre et le cadre des fenêtres, utilisez un mélange de terre d'ombre naturelle et une goutte du « noir » précédent. Diluez la teinte pour peindre les planches du pont. Précisez les détails de l'intérieur avec un camaïeu de bleu-gris.

Afin d'évoquer la patine et l'usure générale des équipements, variez les tons de la couleur des planches du pont.

Appliquez les couleurs des détails en utilisant les lois de la perspective pour créer une impression de profondeur.

8 Peignez l'amas de filets de pêche en utilisant des mélanges d'ocre jaune, de jaune de cadmium et de rouge de cadmium en différentes proportions.

Veillez à ce que les teintes de départ soient assez vives, car les détails en orangé vont ensuite foncer la couleur.

9 Peignez les gros cordages avec un orange foncé (terre d'ombre naturelle et rouge de cadmium). Pour évoquer les mailles des filets, travaillez à la brosse sèche : trempez le pinceau éventail dans la peinture et utilisez de l'essuie-tout pour retirer des soies l'excédent de peinture. Passez le pinceau à l'endroit voulu sur le tableau de manière à ce que les touches n'accrochent que les aspérités du papier.

Les touches du pinceau éventail sec doivent épouser les contours du tas de filets afin de modeler les volumes tout en évoquant la texture.

10 À l'horizon, le paysage paraît voilé par la chaleur. Préparez un mélange de bleu de céruleum, de bleu outremer et de gris de Payne très dilué pour obtenir un bleu assez sourd.

Laissez le jus s'accumuler çà et là et former des touches plus foncées et d'autres plus claires qui rendront mieux les reliefs de la chaîne de montagnes.

11 Avec le même mélange moins dilué, posez des touches plus foncées pour marquer le pied des collines à l'horizon. Vers le milieu du tableau, ajoutez des touches encore plus foncées du même mélange bleu-gris pour représenter les détails (arbres, etc.) situés au premier plan de l'horizon.

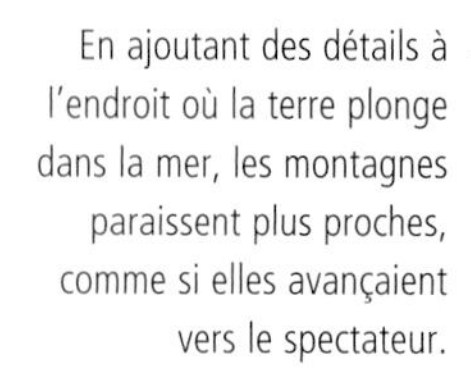

En ajoutant des détails à l'endroit où la terre plonge dans la mer, les montagnes paraissent plus proches, comme si elles avançaient vers le spectateur.

12 Peignez la mer avec un jus très dilué de bleu outremer et de jaune citron pour obtenir un bleu de céruleum clair. Construisez les vagues en formant une série de bandes horizontales, en commençant au plan moyen et en poursuivant vers l'avant du tableau.

Donnez de la perspective aux vagues en les peignant de plus en plus larges à mesure qu'elles approchent du premier plan.

13 Laissez sécher les lavis de la mer avant d'ajouter les détails et les effets de texture au premier plan, sous les bateaux et tout autour. Trempez l'éponge naturelle dans un mélange bleu-vert de bleu outremer, vert émeraude et une goutte de terre d'ombre naturelle.

Pour qu'elle donne des marques bien franches, trempez l'éponge dans l'eau et essorez-la soigneusement avant de la charger de peinture.

14 Laissez sécher les marques de l'éponge de manière à conserver une certaine précision. Appliquez la même nuance au pinceau afin de rendre les rides foncées et les ombres qui s'étalent sous les coques. Au pinceau, étirez la peinture des ombres jusqu'aux rides et ajoutez par-dessus quelques gouttes de peinture afin de créer un effet de clapotis.

Lorsque vous appliquez le pigment bleu en lavis très dilué, l'effet de granulation de l'acrylique enrichit la texture du tableau.

15 Laissez sécher la peinture avant d'ajouter une touche de bleu outremer et de gris de Payne dans le mélange bleu-vert pour peindre les ondulations des rides et des reflets autour des coques.

Grâce aux ombres, les bateaux paraissent bien flotter à la surface de l'eau et participent ainsi au réalisme du tableau.

16 Évoquez la texture patinée du bois des coques en projetant un jus dilué de peinture bleu-gris à l'aide du pinceau plat. Pour éviter de tacher le reste du tableau, protégez-le avec du papier journal.

En maintenant le pinceau plat entre le pouce et le majeur, rabattez de l'index les soies vers l'arrière avant de les relâcher pour projeter la peinture.

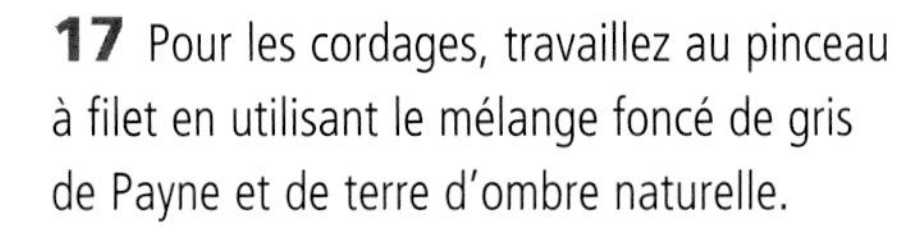

17 Pour les cordages, travaillez au pinceau à filet en utilisant le mélange foncé de gris de Payne et de terre d'ombre naturelle.

Le pinceau à filet a été conçu pour peindre le gréement des voiliers.

Le tableau achevé

Les techniques de l'aquarelle permettent de restituer avec succès la sérénité colorée d'un petit port de la Méditerranée. Le travail sur fond humide et sur fond sec ainsi que le recours aux perspectives aérienne et linéaire rendent l'espace de façon convaincante, tandis que la composition compacte attire l'attention sur la flottille de bateaux, sujet principal du tableau.

Portrait de jeune fille

Couleurs et médiums

1 Jaune citron
2 Rouge de cadmium
3 Terre d'ombre naturelle
4 Jaune de cadmium
5 Terre d'ombre brûlée
6 Gris de Payne
7 Alizarine cramoisie
8 Ocre jaune
9 Bleu outremer
10 Violet brillant
Médium acrylique brillant

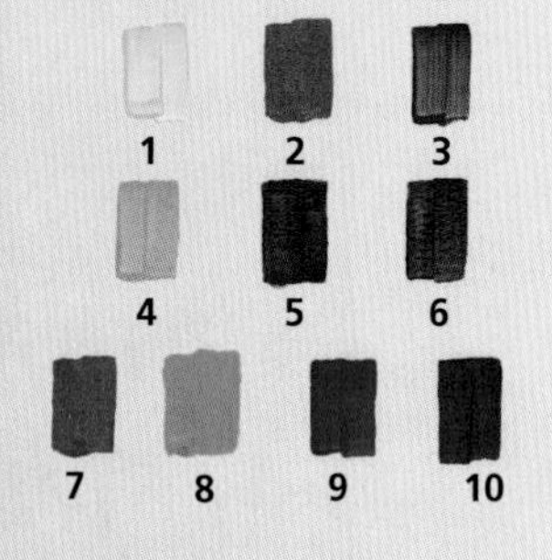

Matériel

Support en MDF enduit de gesso acrylique blanc

Crayon H

Pinceaux plats en martre de 1,2 cm et de 1,8 cm

Pinceau à filet

Techniques

La préparation des supports (32)

La préparation des couleurs (34)

Les glacis (38)

La lumière et le ton (86)

La technique du glacis se révèle particulièrement utile pour reproduire les tons délicatement nuancés et la carnation des visages. Les principes sont pratiquement identiques à ceux de la technique du lavis vue au projet précédent, mais le glacis donne de meilleurs résultats sur les surfaces plus dures et moins absorbantes que le papier à aquarelle. Dans ce cas, il est préférable de diluer l'acrylique avec un médium mat ou brillant plutôt qu'avec de l'eau. Utilisez les glacis seuls ou pour modeler les autres plages de couleur de consistance épaisse ou moyenne.

1 Exécutez une esquisse précise du portrait. Placez, par exemple, la figure légèrement sur la droite, de trois quarts, les yeux dirigés vers la gauche. En peinture, c'est une pose classique pour le portrait.

Éclaircissez les tracés trop foncés à l'aide d'une gomme ou en appliquant par-dessus une autre couche de gesso.

2 Comme à l'aquarelle, les glacis foncés sont toujours appliqués sur des couches plus claires. Évitez d'utiliser de la peinture blanche qui risque d'opacifier les couleurs. Diluez l'acrylique avec de l'eau claire et du médium acrylique brillant. Posez les tons de base de la chair en travaillant avec un mélange rose pâle (jaune citron, une goutte de rouge de cadmium et de terre d'ombre naturelle). Ajoutez une goutte de jaune dans le rose pâle pour esquisser les cheveux.

Appliquez les couleurs en aplats uniformes à l'aide d'un pinceau plat en martre sans laisser apparaître les marques des soies.

3 Laissez sécher les premiers glacis. Appliquez un second glacis sur les cheveux : utilisez le même mélange que précédemment en augmentant légèrement la proportion de terre d'ombre naturelle et de jaune de cadmium pour obtenir un ton plus foncé.

Les touches de pinceau épousent le mouvement naturel des mèches de cheveux.

4 Préparez un mélange plus foncé composé de jaune citron, d'une touche de terre d'ombre naturelle et de rouge de cadmium. Commencez à poser les ombres et réservez les reflets clairs.

Le glacis doit être très fluide. Appliquez-le rapidement pour éviter de laisser les marques des soies.

5 Foncez les cheveux en ajoutant de la terre d'ombre naturelle au mélange de base pour évoquer les mèches sombres. Pour les peindre, déplacez le pinceau dans le sens naturel des boucles. Les irrégularités du glacis produisent souvent de légères variations de couleur, des accidents souvent bienvenus comme dans le cas présent.

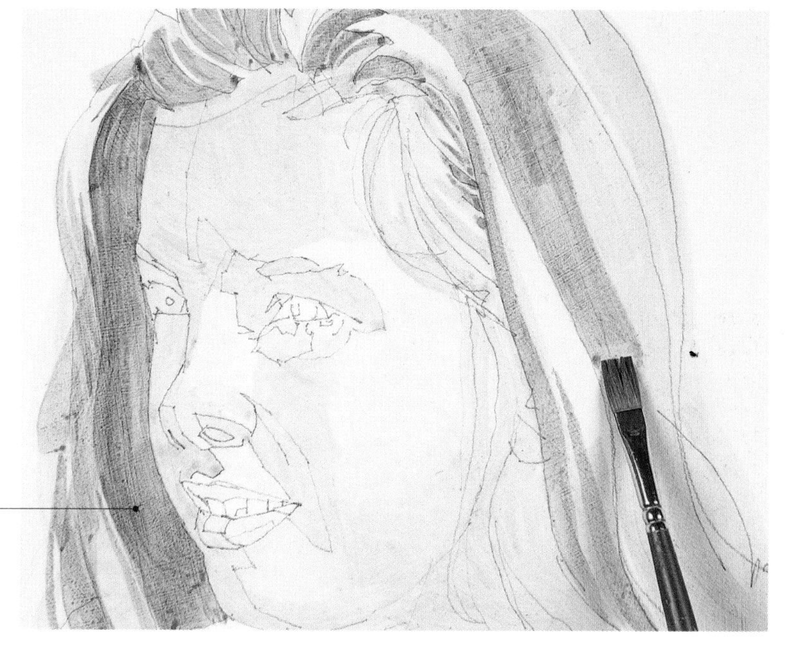

Modelez les contours des cheveux de manière à donner volume et profondeur au visage et à la tête.

6 Précisez les traits du visage en commençant par les tons foncés des yeux, des narines et des contours des dents. Travaillez avec le pinceau à filet en utilisant un mélange opaque de terre d'ombre naturelle et de gris de Payne enrichi d'une touche d'alizarine cramoisie.

Laissez apparaître les touches blanches de gesso afin de rendre l'éclat des yeux.

7 Posez d'autres ombres sur le visage pour préciser les formes. Travaillez avec le pinceau plat de 1,2 cm et un ton chair foncé (terre d'ombre brûlée et alizarine cramoisie avec un peu d'ocre jaune). Posez les ombres autour des yeux, sur la gauche du visage et du nez jusqu'aux commissures des lèvres pour terminer par celles qui ornent le dessous du menton et le cou.

Pour éviter que les soies ne marquent, utilisez de la peinture bien diluée en touches nettes et précises.

8 Ajoutez au mélange précédent un peu d'alizarine cramoisie et une touche de bleu outremer. Repassez sur les ombres autour des yeux, sur le côté du nez et de la bouche. Pour le rose poudré des lèvres, mélangez du rouge de cadmium et de l'ocre jaune avec une goutte de terre d'ombre naturelle. Peignez les lèvres au pinceau à filet. Ajoutez une pointe de gris de Payne bien dilué avec de l'eau et servez-vous de ce rose pour rabattre le blanc des yeux et peindre les dents.

Réservez quelques touches claires de rose sur les dents et sur les lèvres pour rendre les reflets.

9 Ajoutez les détails des yeux en utilisant le mélange foncé de l'étape précédente : travaillez en touches légères pour évoquer à peine l'arc des sourcils. Posez quelques points pour figurer les taches de rousseur sur le nez.

Lorsqu'on ajoute les détails, les yeux paraissent s'animer.

10 Préparez un mélange de bleu outremer et de gris de Payne pour le pull-over. Appliquez la couleur au pinceau de 1,2 cm en orientant les touches dans toutes les directions.

Laissez apparaître les marques des soies de manière à évoquer la texture du pull.

11 Précisez les traits du visage pour donner plus de réalisme au portrait. Préparez un mélange de violet brillant et de terre d'ombre naturelle pour foncer les ombres aux coins des yeux. Modelez les lèvres en ajoutant quelques touches de rouge sourd (rouge de cadmium, jaune de cadmium et une goutte de terre d'ombre naturelle).

Les touches plus froides posées aux coins des yeux donnent davantage de profondeur au regard tout en précisant les contours du nez.

12 Pour le fond, préparez un brun foncé avec du gris de Payne et de la terre d'ombre naturelle. Appliquez ce mélange au pinceau plat de 1,8 cm en suivant les contours des mèches autour du visage. Laissez sécher. Posez une seconde couche de la même nuance pour intensifier la couleur du fond.

En soulignant les contours de la chevelure, les mèches apparaissent de façon plus précise.

13 Pour les ombres et les détails du pull-over, travaillez avec un bleu foncé composé de bleu outremer et de gris de Payne. Appliquez la couleur au pinceau plat de 1,2 cm. Pour les coutures sombres, utilisez le pinceau à filet.

Il suffit d'ajouter quelques détails sur le pull pour transformer une plage de couleur uniforme en vêtement.

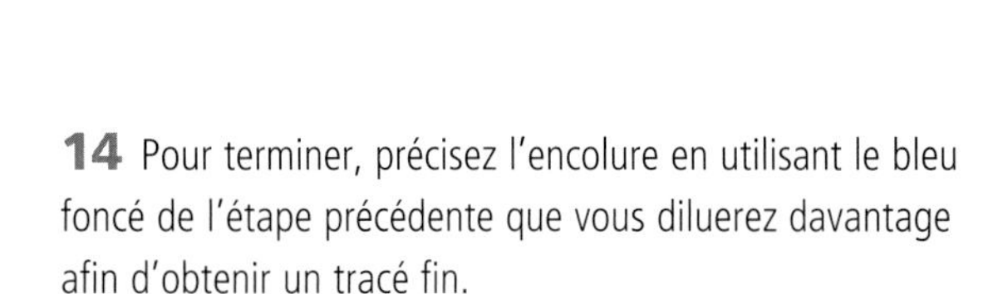

14 Pour terminer, précisez l'encolure en utilisant le bleu foncé de l'étape précédente que vous diluerez davantage afin d'obtenir un tracé fin.

Il suffit de dessiner des lignes parallèles et quelques touches plus foncées pour évoquer le col du pull-over.

Le tableau achevé

Le glacis convient bien au portrait, notamment lorsqu'il s'agit de représenter les enfants avec leur visage un peu rond et leur peau encore lisse. La seule difficulté réside dans le rendu des couches de glacis. Trop lisses, elles donnent un portrait terne et sans relief. Il suffit alors de travailler la texture du fond, des vêtements et des cheveux pour créer des contrastes qui font ressortir les tons doux et veloutés du visage.

Les tournesols

Couleurs et médiums

1 Jaune de cadmium
2 Terre d'ombre naturelle
3 Rouge de cadmium
4 Terre d'ombre brûlée
5 Alizarine cramoisie
6 Gris de Payne
7 Bleu outremer
8 Ocre jaune
9 Blanc de titane
10 Vert anglais

Matériel

Toile montée sur châssis
Crayon Conté® noir
Pinceaux plats en soies de porc de 0,8 cm et de 1,2 cm
Pinceau plat biseauté de petite taille
Médium mat, médium en gel

Techniques

La préparation des couleurs (34)
Les aplats opaques (40)
Les empâtements (42)

Technique classique de la peinture à l'huile, l'application de pâte épaisse sur des couches plus fines permet d'éviter les craquelures qui apparaissent parfois au séchage. C'est également une précaution utile pour la peinture acrylique. Facile et simple, elle sert en outre à installer la composition et la palette de couleurs avant de passer au travail en empâtements. De plus, elle évite d'avoir à gratter la peinture pour corriger le tableau, et elle donne à l'ensemble davantage de relief tout en augmentant l'intensité des couleurs.

1 Placez le sujet au centre du tableau en disposant les fleurs de manière à ce qu'elles forment un ensemble triangulaire. Esquissez les fleurs au crayon Conté® noir – il laisse une trace plus nette et plus précise que le fusain. En cas d'erreur, il suffit de gommer le trait et de retravailler le détail.

En guidant la composition, la précision de l'esquisse initiale contribue à libérer le geste pour mieux se concentrer ensuite sur les couleurs et les textures.

2 Préparez un orange foncé avec du jaune de cadmium, de la terre d'ombre naturelle et un peu de rouge de cadmium bien dilué avec de l'eau et du médium mat. Au pinceau plat de 0,8 cm, posez les couleurs dominantes de ton moyen sur les pétales et sur le cœur de chaque tournesol.

Travaillez avec le côté du pinceau plat de manière à former des lignes fluides et assez fines.

L'esquisse ne sert qu'à vous guider et elle disparaîtra au fur et à mesure sous les touches de peinture.

Pour peindre les zones étroites et les détails fins, faites pivoter le pinceau plat de manière à utiliser le profil ou le coin de la touffe de soies.

3 Au pinceau plat de 0,8 cm, posez le jaune de cadmium simplement dilué avec de l'eau pour peindre les pétales. Travaillez sur tout le pourtour de la fleur et entre les pétales orange foncé.

Appliquez des touches fluides en formant une sorte de virgule pour représenter les pétales jaunes à partir du cœur de chaque fleur.

4 Ajoutez les touches orange-brun profond du cœur en utilisant des mélanges dilués de terre d'ombre brûlée et de jaune de cadmium enrichis d'une goutte d'alizarine cramoisie. Pour foncer les mélanges, ajoutez du gris de Payne et de l'alizarine cramoisie.

Pour rendre le volume des cœurs, travaillez en touches amples et appuyées, mais respectez bien la répartition des clairs et des foncés en fonction de la manière dont la lumière éclaire votre sujet.

5 Passez ensuite aux tiges et aux feuilles. Déterminez les zones vert moyen avec un mélange de bleu outremer et d'ocre jaune. Laissez des blancs pour les reflets et entre les feuilles.

Pour rendre la forme anguleuse et les contours aigus des feuilles, servez-vous d'un pinceau plat assez fin à soies en biseau.

6 Avec la même nuance de bleu outremer et d'ocre jaune, éclaircie d'une pointe de blanc de titane, peignez les reflets de lumière sur les feuilles. Passez ensuite au fond gris-vert sourd avec un mélange de vert anglais, d'alizarine cramoisie, de gris de Payne et d'un peu d'ocre jaune. La présence du fond sombre met en valeur les fleurs et les feuilles, et les rapproche du spectateur en leur donnant du volume.

Utilisez un pinceau plat assez large de manière à couvrir rapidement le fond.

Suivez avec soin le tracé des fleurs et des feuilles en précisant si nécessaire leurs contours avec des touches gris-vert.

7 Une fois que vous aurez défini les grandes plages de couleur, vous introduirez les détails et les textures en ajoutant du médium en gel pour épaissir la peinture.

Utilisez du jaune de cadmium et un peu de rouge de cadmium pour les pétales jaune foncé en posant des touches saccadées. Précisez les ombres orangées à la base des pétales avec des touches vives de jaune de cadmium enrichi de rouge de cadmium et de terre d'ombre brûlée.

Pour les pétales jaunes éclairés par le soleil, ajoutez du blanc de titane au jaune de cadmium initial et travaillez en utilisant le côté du pinceau plat.

8 Précisez le motif des cœurs en leur donnant du volume: utilisez plusieurs nuances de brun et d'orange en travaillant avec des mélanges à base de rouge de cadmium, de jaune de cadmium, de terre d'ombre brûlée, d'alizarine cramoisie et de gris de Payne.

Travaillez sur fond humide (sans laisser sécher la couche précédente) en posant des touches fermes et épaisses pour modeler des reliefs de couleur soutenue.

9 Pour reproduire les ombres des feuilles, appliquez des mélanges foncés de vert anglais et de gris de Payne en ajoutant une goutte d'alizarine cramoisie. Si la couleur est trop uniforme, notamment au niveau des reflets et des angles aigus des feuilles qui sont situées à la base des inflorescences, posez des rehauts en ajoutant de l'ocre jaune et du blanc de titane aux mélanges gris-vert.

Travaillez en touches fermes et rapides. Posez le vert clair sur la peinture humide afin d'évoquer les nervures des feuilles de tournesol.

Pour animer davantage le fond, variez la direction des touches.

10 Enfin, retravaillez le fond pour lui donner davantage d'intensité en utilisant des nuances gris-vert composées de vert anglais, de gris de Payne, d'alizarine cramoisie, d'ocre jaune et de blanc de titane. Afin que les touches conservent leur forme, incorporez une grande quantité de gel à la peinture.

Le tableau achevé

La vivacité des touches et des couleurs donne au tableau une atmosphère lumineuse à caractère impressionniste. La répartition simple des tons foncés, moyens et clairs anime la composition de volumes très réalistes. À ce stade, le tableau est achevé, mais vous pouvez prolonger la séance en déclinant les textures par des touches d'acrylique encore plus épaisses.

Arbres en hiver

Couleurs et médiums

1 Gris de Payne
2 Blanc de titane
3 Vert émeraude
4 Terre d'ombre brûlée
5 Jaune de cadmium
6 Terre d'ombre naturelle
7 Rouge de cadmium
8 Bleu de céruleum
9 Bleu outremer
Médium acrylique mat
Médium retardateur

Matériel

Toile en lin enduite de gesso acrylique (40 x 50 cm)

Pinceau plat en soies de porc de 1,2 cm

Pinceau plat en soies synthétiques de 1,2 cm

Techniques

La préparation des couleurs (34)

Les aplats opaques (40)

Les frottis (60)

La composition (80)

La lumière et le ton (86)

Dans la lumière hivernale, les branches tourmentées et l'écorce noueuse des arbres fournissent un excellent sujet. La technique appropriée consiste à appliquer en touches rapides de la peinture opaque sur une ébauche monochrome au pinceau. L'ébauche permet d'équilibrer les valeurs tonales avant de passer aux couleurs. Elle facilite ainsi tout le processus de réalisation du tableau, notamment lorsqu'il s'agit de traduire les effets des ombres et des lumières du jour.

1 Enrichissez toutes les couleurs d'un peu de médium acrylique mat. Effectuez un rapide croquis avec le pinceau plat de 1,2 cm en soies de porc et le gris de Payne plus ou moins dilué d'eau. Définissez les grandes lignes de la composition : placez l'arbre du premier plan à droite, dans le premier tiers du tableau, et laissez les branches s'étendre vers la gauche et le tiers supérieur. Le sol au premier plan et la silhouette des arbres à l'horizon doivent occuper le tiers inférieur du tableau.

Utilisez un jus très dilué afin que l'ébauche reste invisible sous les couches ultérieures de peinture. Vous pourrez en outre poser des touches fluides et rapides.

2 Placez les arbres de l'horizon et définissez le premier plan en travaillant toujours en touches rapides et fluides.

Si la peinture coule ou forme des flaques, épaississez légèrement le mélange.

3 Déterminez les tons qui vous serviront ensuite de guide pour les couleurs. Il ne s'agit pas de reproduire les tons de la réalité – ils peuvent être plus clairs –, mais de les définir les uns par rapport aux autres. Continuez ainsi jusqu'à ce que le résultat vous paraisse équilibré.

Précisez les tons en ajoutant des touches plus foncées pour évoquer le volume ou les détails des silhouettes.

4 Avec le blanc de titane, corrigez les silhouettes ou éclaircissez certaines plages tonales si nécessaire. Veillez cependant à ne pas surcharger le support de couches de peinture épaisses.

Le blanc de titane, plus opaque que la plupart des autres pigments, facilite les corrections.

5 Appliquez les couleurs. Servez-vous de médium retardateur pour ralentir le séchage. Posez les tons clairs sur les premières couleurs humides. Peignez d'abord les arbres de l'horizon à l'aide du pinceau plat synthétique de 1,2 cm et de mélanges de vert émeraude, de terre d'ombre brûlée et de gris de Payne. Corrigez et éclaircissez les premières touches de vert foncé en ajoutant au mélange du jaune de cadmium et du blanc de titane.

Préparez les couleurs jusqu'à obtenir une consistance crémeuse et travaillez en touches précises et saccadées, en suivant les contours naturels des arbres.

6 Peignez le premier plan. Enrichissez le vert précédent de jaune de cadmium, de terre d'ombre naturelle et de blanc. Appliquez cette couleur sur toute la largeur du tableau et entre les arbres. Afin d'évoquer les feuilles mortes qui jonchent le sol, préparez un mélange de jaune de cadmium et de rouge de cadmium rehaussé d'une touche de blanc de titane ou assourdi d'un peu de terre d'ombre naturelle pour obtenir des variations tonales plus réalistes.

Pour suggérer les feuilles mortes, jouez sur le sens et sur la longueur des touches de pinceau.

7 Retravaillez le premier plan en utilisant d'autres nuances du mélange de base : terre d'ombre naturelle, jaune de cadmium et blanc. Posez des touches rapides avec le pinceau synthétique en changeant constamment de sens.

Ne lissez pas les touches : elles doivent conserver la trace du pinceau pour donner de la texture à la composition.

8 Passez aux arbres du premier plan : retravaillez les ombres avec un mélange brun foncé de gris de Payne et de terre d'ombre brûlée. Posez des touches rectilignes en changeant de sens pour décrire les ombres des rameaux.

Pour les branches épaisses, appliquez la peinture avec le plat du pinceau et pour les rameaux plus fins, travaillez avec le côté.

9 Peignez ensuite les arbres avec plusieurs bruns à base de terre d'ombre naturelle et brûlée, de jaune de cadmium et de blanc de titane.

Afin d'évoquer le volume et la texture des troncs d'arbres, travaillez avec un camaïeu de bruns.

10 Pour le ciel, préparez un bleu clair avec du bleu de céruleum, un peu de bleu outremer et beaucoup de blanc. Posez délicatement la couleur autour des branches. Ce travail « en négatif » est capital, car il permet de préciser la forme des rameaux, voire de la corriger si nécessaire. Il nécessite davantage de temps et de patience que lorsqu'on peint directement les branches sur le fond bleu du ciel, mais le résultat est plus intéressant.

Au fil des touches de bleu, le labyrinthe des branches se profile plus nettement.

11 Retravaillez les ombres portées sur les troncs et sur les grosses branches avec un mélange de bleu outremer et de gris de Payne qui servira à foncer et à refroidir les nuances.

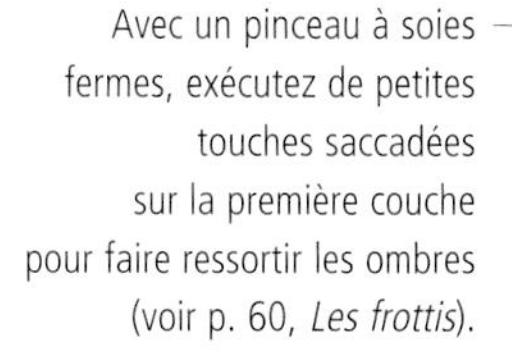

Avec un pinceau à soies fermes, exécutez de petites touches saccadées sur la première couche pour faire ressortir les ombres (voir p. 60, *Les frottis*).

12 Éclaircissez les mélanges de bruns de l'étape 9 pour faire ressortir les reflets du soleil sur les troncs et les branches. Travaillez en touches amples et laissez transparaître la couleur foncée par endroits.

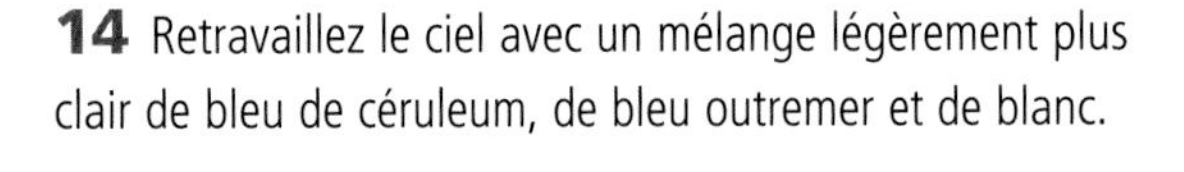

Les traces des soies évoquent les fibres du bois.

13 Sous les arbres, le sol est jonché de feuilles sèches et de rameaux brisés. Ajoutez ces détails en déclinant les tons de vert sourd et de brun clair (reprenez les couleurs employées pour les premières touches du premier plan).

Travaillez avec le côté, le plat ou la pointe du pinceau afin de varier la forme et la taille des touches.

14 Retravaillez le ciel avec un mélange légèrement plus clair de bleu de céruleum, de bleu outremer et de blanc.

Variez le sens des touches de manière à laisser transparaître par endroits la couche précédente, légèrement plus foncée.

Le tableau achevé

L'ébauche tonale fournit une base solide pour la composition, et le travail en touches courtes et fermes donne au tableau une atmosphère impressionniste qui convient très bien au sujet. Si vous peignez à l'extérieur, ou dans des conditions météorologiques agitées, cette technique permet en outre de terminer le tableau assez rapidement.

Nature morte I

Couleurs et médiums

1 Terre d'ombre naturelle
2 Ocre jaune
3 Blanc de titane
4 Gris de Payne
5 Terre d'ombre brûlée
6 Vert émeraude
7 Jaune de cadmium
8 Rouge de cadmium
9 Alizarine cramoisie
10 Bleu de céruleum
Médium retardateur

Matériel

Toile montée sur châssis (50 x 40 cm)
Mine de graphite 6B
Ruban cache
Pinceau en mousse de 2,5 cm
Papier cartonné fort
Cutter
Éponge naturelle
Couteau à peindre langue-de-chat (grand et petit modèles)
Fixatif

Techniques

La préparation des couleurs (34)
Les aplats opaques (40)
La peinture au couteau (44)
La peinture à l'éponge (48)
Les masques (50)
Le sgraffito (64)

L'utilisation de la peinture acrylique permet de recourir à toutes sortes d'objets autres que le pinceau. Ces objets donneront une autre dimension à vos créations et vous permettront d'exprimer votre créativité. En changeant d'outil, vous rafraîchirez votre style. Vous pourrez même enrichir un de vos anciens tableaux, effectué selon les méthodes traditionnelles.

1 Définissez la composition en partant du triangle formé par le pédoncule de la courge et le bord de la table. Esquissez les grandes lignes avec une mine de graphite 6B. Concentrez-vous sur les contours et sur les proportions des différentes formes.

Une fois le croquis achevé, vaporisez un voile de fixatif pour éviter de l'effacer ou de le tacher pendant que vous peindrez.

2 Avant d'appliquer la peinture, posez des bandes de ruban cache afin de protéger les parties qui doivent rester blanches : la serviette et le bord de la coupe de cerises.

Comme la toile offre une surface assez dure, il suffit de découper le ruban cache au cutter pour obtenir les contours voulus.

3 Préparez un brun clair et sourd avec de la terre d'ombre naturelle, de l'ocre jaune et du blanc. Peignez le fond avec le pinceau mousse de 2,5 cm. Toujours avec le pinceau mousse, préparez un mélange de gris de Payne et de blanc pour peindre la coupe de cerises. Ajoutez les zones foncées sous le tableau avec un mélange de gris de Payne et de terre d'ombre brûlée.

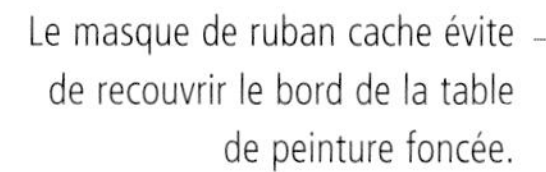

Le masque de ruban cache évite de recouvrir le bord de la table de peinture foncée.

4 Préparez un vert pâle (vert émeraude, jaune de cadmium et terre d'ombre naturelle) pour esquisser la courge et le melon. Utilisez du jaune de cadmium pour les citrons et du rouge de cadmium enrichi de terre d'ombre brûlée pour le poivron. Pour les cerises, travaillez avec un rouge profond composé de rouge de cadmium et d'alizarine cramoisie avec un peu de terre d'ombre brûlée et de gris de Payne. Peignez avec une languette de papier cartonné épais, de 5 mm de largeur.

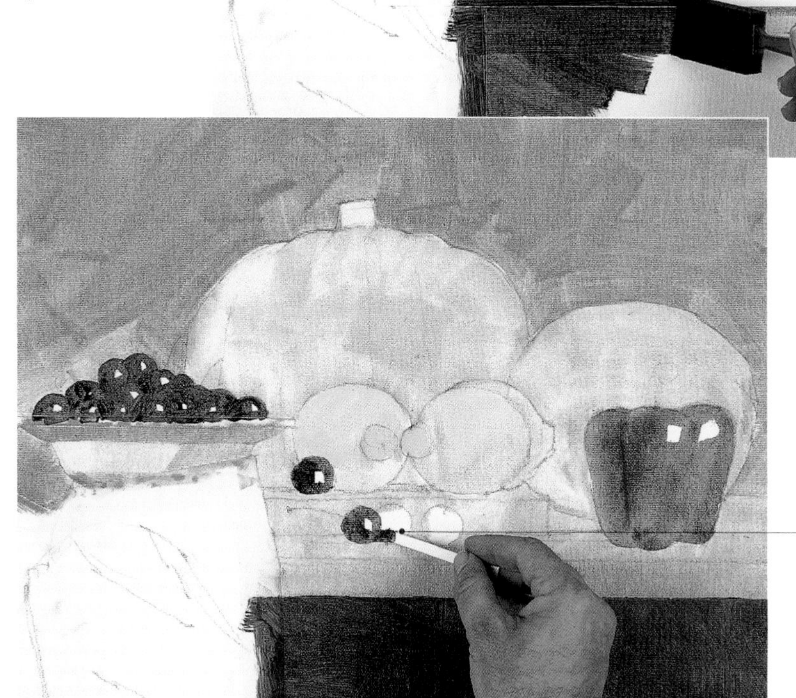

Si l'extrémité de la languette se ramollit sous l'effet de l'humidité, il suffit de la couper pour poursuivre le travail.

5 Préparez un vert foncé avec du vert émeraude, du jaune de cadmium et de la terre d'ombre naturelle. Ajoutez un peu de médium retardateur et, avec une languette de papier cartonné, commencez à poser les ombres sur la courge. Ajoutez du jaune de cadmium, un peu de terre d'ombre naturelle et du blanc de titane pour éclaircir le vert initial et appliquez-le de la même manière en travaillant sur les reliefs de la courge, qui s'animent alors de reflets de lumière.

Modelez la texture de la peinture avec l'extrémité et la tranche de la languette. Par endroits, grattez la peinture pour révéler la sous-couche et évoquer les irrégularités de la peau de la courge.

6 Laissez sécher la courge avant d'éclaircir de nouveau le vert avec un mélange de jaune de cadmium, de terre d'ombre naturelle et de blanc. Appliquez ce vert avec un petit morceau d'éponge naturelle : humidifiez et essorez l'éponge avant de la tremper dans la peinture.

Les petits morceaux d'éponge sont plus faciles à manipuler que les gros.

7 Pour le melon, préparez un vert clair à partir du blanc en ajoutant peu à peu du vert émeraude, de la terre d'ombre naturelle, du jaune de cadmium, du gris de Payne et une pointe de bleu de céruleum. Pour évoquer le motif des rayures, utilisez une petite languette de papier cartonné de 2 cm de largeur et retirez délicatement la couleur en dessinant trois arcs peu prononcés sur toute la largeur du melon.

Pour la queue du poivron, contournez la forme avec la peinture vert pâle pour laisser apparaître le vert foncé de la sous-couche.

8 Complétez le melon en travaillant la texture à l'éponge. Veillez à ne pas toucher les citrons et le poivron rouge. Utilisez un mélange de jaune de cadmium et de blanc de titane avec de la terre d'ombre naturelle afin de varier les tons de jaune des citrons. Ajoutez du médium retardateur et peignez les citrons avec un petit couteau langue-de-chat et une languette de papier cartonné.

Le tranchant du couteau à peindre trace des lignes nettes. Utilisez-le pour peindre les ombres fines à la base de chaque citron.

9 À l'aide du même matériel, peignez le poivron avec des mélanges de rouge de cadmium et d'alizarine cramoisie rehaussés d'une touche d'orange (rouge de cadmium et jaune de cadmium) et de blanc.

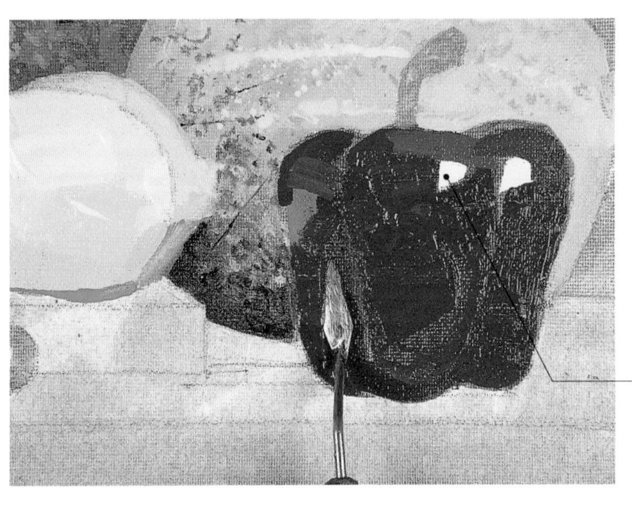

Pour figurer les reflets du poivron, laissez apparaître le blanc du support par endroits.

10 Laissez sécher le tableau. Peignez la table et la planche à découper en utilisant le ruban cache, qui délimitera des bords droits. Posez les bandes de ruban cache pour isoler tour à tour chaque partie, et retirez-les après avoir appliqué la peinture, mais sans attendre qu'elle sèche. Pour les tons bruns de la table, utilisez plusieurs mélanges de terre d'ombre naturelle et brûlée enrichis de jaune de cadmium et de blanc.

Appliquez la peinture avec une languette de papier cartonné épais. En étirant la couleur à la surface de la toile, le papier laisse des marques fines, d'une couleur plus soutenue, entre les touches.

Pour les effets de sgraffito au cutter, préférez le côté de la lame au tranchant, qui risque de couper la toile.

11 Utilisez un masque de ruban cache pour le bord clair de la table. Ajoutez quelques lignes de brun clair (terre d'ombre brûlée et jaune de cadmium) sur le côté de la table. Pour terminer, évoquez les veines du bois en grattant la peinture au cutter.

12 Mélangez du rouge de cadmium et de l'alizarine cramoisie avec un peu de gris de Payne pour obtenir le rouge profond des cerises. Appliquez la couleur avec une languette de papier cartonné. Retravaillez les couleurs avec un rouge plus clair (sans gris de Payne). Pour les reflets, posez des points de peinture blanche à la pointe du couteau à peindre. Reprenez les citrons et le poivron de la même manière.

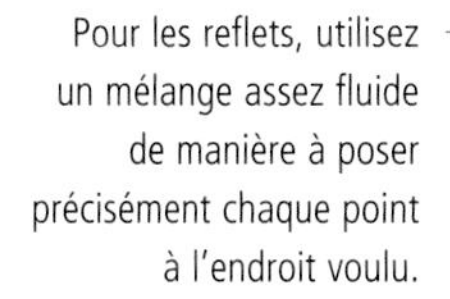

Pour les reflets, utilisez un mélange assez fluide de manière à poser précisément chaque point à l'endroit voulu.

13 Foncez le fond avec un mélange de terre d'ombre naturelle et de gris de Payne. Travaillez au pinceau mousse en respectant soigneusement les contours des fruits. Pour les parties très étroites, servez-vous d'une languette de papier cartonné.

Enrichissez le fond en peignant des lignes plus fines à l'aide du côté du couteau à peindre. Appliquez la technique du sgraffito pour retirer la peinture et modeler la tige de la courge.

14 Retirez le ruban cache qui protège la serviette blanche et le bord de la coupe. Ajoutez une pointe de terre d'ombre naturelle dans un mélange de gris de Payne et de blanc. Avec le gros couteau à peindre, posez les ombres et les plis de la serviette.

Protégez les contours du bord de la coupe avec du ruban cache et posez une couche de blanc de titane pur.

Au couteau langue-de-chat, peignez la serviette en blanc, en travaillant autour des ombres.

15 Préparez un vert assez fluide avec du vert émeraude, de la terre d'ombre naturelle, du jaune de cadmium, un peu de gris de Payne et de blanc. Trempez la pointe du gros couteau à peindre dans la couleur et tracez de fines lignes courbes pour rendre la tige des cerises.

Pour obtenir une courbure régulière, maniez le côté du couteau à peindre d'un geste ferme et continu tout en exerçant une légère pression vers le haut.

Le tableau achevé

La composition triangulaire attire l'attention vers le centre du tableau. Au premier plan, les reflets de lumière ressortent nettement par contraste avec la courge et le fond, plus sombres. Une fois que vous aurez choisi l'outil adapté, les formes simples ne vous poseront aucune difficulté.

Église méditerranéenne

Couleurs et médiums

1 Bleu de céruleum
2 Terre d'ombre naturelle
3 Gris de Payne
4 Vert émeraude
5 Blanc de titane
6 Rouge de cadmium
7 Terre d'ombre brûlée
8 Violet brillant
9 Bleu outremer
10 Jaune de cadmium
11 Ocre jaune
Médium retardateur

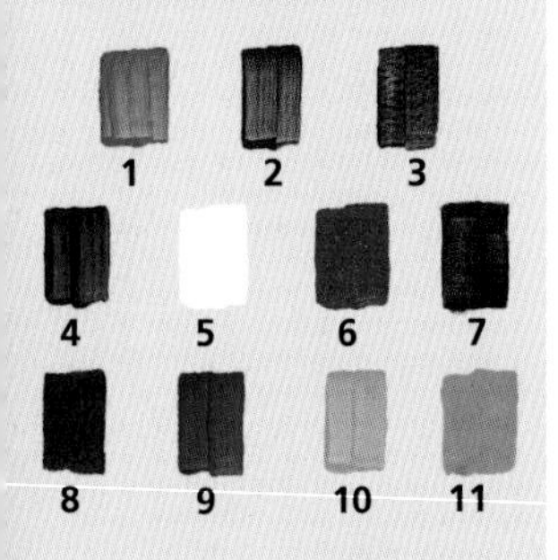

Matériel

Support en MDF enduit de gesso acrylique
Mine de graphite tendre
Pinceau plat en soies de porc de 5 cm
Pinceau plat en soies de porc de 1,2 cm
Pinceau plat en soies synthétiques de 0,8 cm
Petit pinceau éventail
Éponge naturelle

Techniques

La préparation des supports (32)
La peinture à l'éponge (48)
Les fondus (56)
Les frottis (60)
Le sgraffito (64)
La composition (80)

La texture joue un grand rôle en peinture. Elle enrichit considérablement le tableau et renforce le réalisme des surfaces. En outre, elle intervient de manière plus subtile en attirant le regard sur une zone particulière du tableau. Pour créer des effets de texture, vous pouvez appliquer directement la peinture en pâte épaisse et modeler les reliefs, ou travailler les jus plus dilués de manière à créer l'illusion de la texture, comme dans ce projet.

1 Ici encore, la composition s'organise en tiers : le tiers supérieur pour le ciel, le tiers inférieur pour le premier plan. Le cyprès coupe la composition en deux. Il est d'ailleurs préférable de le placer approximativement sur le premier tiers de la largeur. Esquissez d'abord les grandes lignes des principaux éléments de la scène à l'aide de la mine graphite tendre.

Le tracé du graphite doit être assez foncé pour rester visible sous les premières couches de couleur.

2 Avec le pinceau de 5 cm, appliquez un fin lavis de bleu de céruleum sur la moitié supérieure du support. Posez des touches amples en laissant les marques des soies. Étirez la couleur vers le bas en ajoutant progressivement de la terre d'ombre naturelle au jus initial.

La couleur de base ne doit pas être trop opaque, car elle dissimulerait le tracé de l'ébauche, qui vous guidera pour la suite des opérations.

3 Préparez un mélange assez épais de gris de Payne et de terre d'ombre naturelle avec du médium retardateur (mais sans eau). Posez ce gris sourd au pinceau plat de 1,2 cm pour définir les ombres de l'église. Au fur et à mesure que vous progresserez vers le bas du tableau et le premier plan, foncez les tons avec de la terre d'ombre naturelle.

Appuyez fermement sur le pinceau. La peinture doit s'accrocher aux aspérités de la couche de gesso.

4 Préparez un vert sourd avec du vert émeraude et de la terre d'ombre naturelle. Peignez les collines de gauche (voir illustration p. 126) et le cyprès qui coupe la composition en deux. Travaillez avec une pâte assez épaisse en touches souples.

Variez constamment le sens des touches de manière à enrichir la qualité de la texture.

5 Mélangez un peu de gris de Payne avec de la terre d'ombre naturelle pour obtenir un brun-gris foncé assez fluide (ajoutez un peu d'eau). Avec le pinceau plat en soies synthétiques, peignez les parties sombres du tronc de l'arbre ainsi que le renfoncement de la porte de l'église.

Utilisez la nuance brun-gris foncé pour ajouter les détails sombres, notamment les ombres du mur de l'église.

6 Passez aux parties éclairées par le soleil que vous peindrez en blanc. Utilisez la pâte à la sortie du tube en appuyant sur le pinceau plat de 1,2 cm en soies de porc de manière à laisser transparaître les touches de gesso et la couleur de la sous-couche.

Sur les arêtes éclairées par le soleil, appliquez la peinture en pâte plus épaisse.

7 Appliquez la peinture blanche sur le reste de l'édifice en étirant soigneusement la couleur. Suivez également les contours du cyprès, mais veillez à ne pas laisser une bordure trop nette.

Laissez apparaître les précédentes touches de couleur afin d'évoquer la surface irrégulière du mur blanchi à la chaux.

8 Préparez un rouge profond avec du rouge de cadmium, un peu de terre d'ombre brûlée et du gris de Payne. Au pinceau plat en soies synthétiques, peignez la porte rouge située dans l'ombre sur le devant de l'église.

Ici encore, appliquez la peinture en l'estompant suffisamment pour laisser transparaître les couleurs de la sous-couche.

9 Sans laisser sécher la couleur, ouvrez une série de lignes verticales fines avec l'extrémité du manche du pinceau.

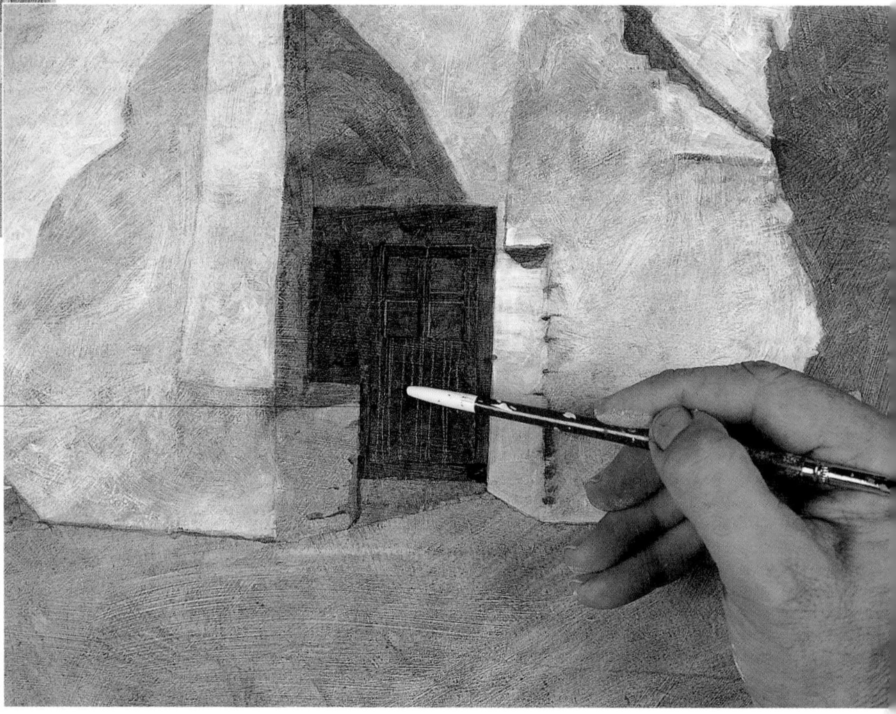

La technique du sgraffito permet de rendre les craquelures du bois et la peinture écaillée de la porte de manière très réaliste.

10 Préparez un violet sourd avec un mélange de violet brillant, un peu de gris de Payne et du blanc de titane. Définissez la partie sombre du rivage à l'horizon. Ajoutez un peu de blanc pour éclaircir le mélange et peignez le reste des reliefs du lointain. Pour la mer, appliquez un bleu foncé assez sourd composé de gris de Payne et de bleu outremer enrichi d'une pointe de terre d'ombre naturelle.

Les touches de bleu foncé font ressortir le blanc et donnent du volume au bâtiment.

11 Mélangez du bleu de céruleum et du blanc de titane pour peindre le ciel. Travaillez en touches amples en changeant régulièrement de sens.

Adoucissez les contours du cyprès en posant par endroits de petites touches de bleu du ciel sur les touches vertes du feuillage.

12 Ajoutez un peu de blanc au bleu de la mer (voir étape 10). Retravaillez la couleur de la mer en posant de petites touches de bleu plus clair avec le pinceau plat en soies synthétiques.

Afin de créer l'impression de perspective, appliquez des touches de plus en plus larges à mesure que vous progressez vers le bas du tableau.

13 Retravaillez la texture de l'église à l'éponge avec un mélange de blanc de titane abondamment dilué d'eau. Commencez par mouiller l'éponge et par l'essorer avant de la tremper dans la peinture. Tapotez ensuite le mur.

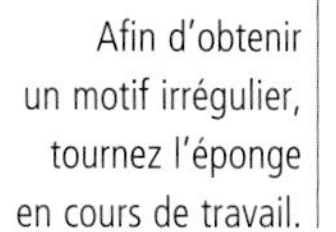

Afin d'obtenir un motif irrégulier, tournez l'éponge en cours de travail.

14 Avec le pinceau plat en soies synthétiques, appliquez une pâte épaisse de blanc de titane sur le dôme de l'église et sur les vestiges de l'arche au premier plan.

Pour reproduire le motif de l'appareillage en briques, posez une série de touches distinctes avec le petit pinceau plat.

15 Mélangez du gris de Payne, de la terre d'ombre naturelle et du blanc pour peindre la partie du cyprès éclairée par le soleil. Ajoutez du blanc pour le motif de l'écorce. Trempez le pinceau éventail dans la peinture, essuyez-le sur un chiffon propre de manière à ne garder qu'une faible quantité de peinture, et appliquez une seule touche de haut en bas.

Pour ne pas gâcher l'effet, le pinceau éventail doit être presque sec.

16 Peignez les ombres sur le feuillage du cyprès avec un vert foncé composé de vert émeraude, de terre d'ombre naturelle et de gris de Payne.

Afin de rendre la texture caractéristique du feuillage, variez à la fois le sens des touches et leur taille.

17 Éclaircissez la nuance précédente de vert avec un peu de blanc, de jaune de cadmium et de terre d'ombre naturelle. Travaillez sur le côté ensoleillé du feuillage en procédant comme à l'étape 16.

Enrichissez le feuillage en superposant les touches et en éclaircissant légèrement le mélange de vert à chaque couche.

18 Préparez un ton gris avec de la terre d'ombre naturelle, de l'ocre jaune, un peu de gris de Payne et du blanc. Au pinceau plat en soies de porc de 1,2 cm, posez la couleur sur toute la partie située devant l'église en veillant à laisser paraître, par endroits, la couleur de la sous-couche.

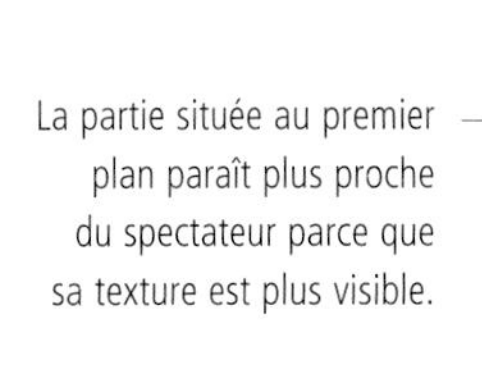

La partie située au premier plan paraît plus proche du spectateur parce que sa texture est plus visible.

Le tableau achevé

Pour évoquer la texture des murs de pierre et de l'arbre, l'artiste a exploité le relief laissé par la sous-couche de gesso en se contentant de la recouvrir de grands aplats d'acrylique. Les effets de texture sont évidents dès les premières applications de peinture, et toutes les autres couches ont été posées de manière à les mettre en valeur.

Paysage de montagne

Couleurs et médiums

1 Bleu de céruleum
2 Violet brillant
3 Vert anglais
4 Terre d'ombre naturelle
5 Gris de Payne
6 Blanc de titane
7 Jaune citron
8 Jaune de cadmium
9 Terre d'ombre brûlée
Médium acrylique mat
Gel texturant au sable

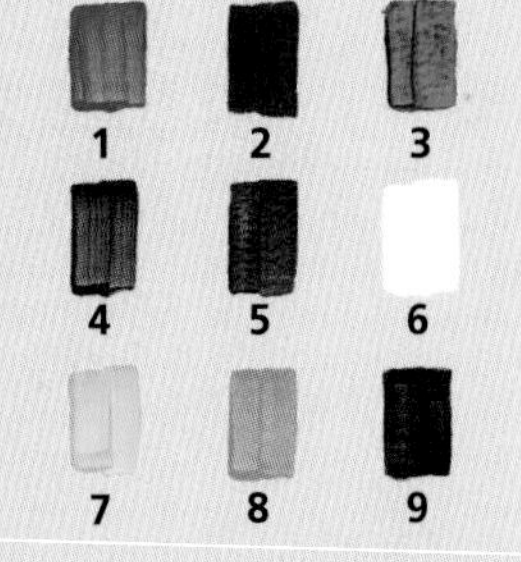

Matériel

Toile montée sur châssis (60 x 50 cm)
Fusain tendre en crayon
Pinceau plat en soies de porc de 2,5 cm
Pinceau plat en soies de porc de 1,2 cm
Pinceau plat en soies souples de 1,2 cm
Pinceau à filet
Pinceau éventail de taille moyenne
Couteau à peindre langue-de-chat de taille moyenne
Raclette ou morceau de carton fort

Techniques

Les lavis (36)
Les aplats opaques (40)
La peinture au couteau (44)
Les pâtes texturantes (52)
Les projections (58)
Le sgraffito (64)
La texture et le motif (84)

Le projet précédent illustre la manière de créer l'illusion de la texture avec de la peinture fluide en jouant sur les touches et les frottis. Ici, la technique est très différente : il s'agit d'utiliser une pâte spéciale conçue pour épaissir et modifier la peinture afin de donner un puissant effet de texture. Cette pâte se travaille au couteau.

1 Esquissez les grandes lignes de la composition avec le fusain tendre.

Pour corriger l'ébauche, il suffit de gommer les marques de fusain avec un chiffon doux.

2 À ce stade, vous utiliserez de la peinture assez fluide. Avec le pinceau plat de 2,5 cm en soies de porc, définissez les grandes plages de la composition avec des mélanges de bleu de céruleum, de violet brillant, de vert anglais et de terre d'ombre naturelle.

Pour les premiers lavis, employez des pigments bien dilués de manière à bien étaler les couleurs.

3 Posez les grandes masses de la montagne avec un mélange froid de violet brillant et de gris de Payne. Travaillez au pinceau en soies de porc de 1,2 cm.

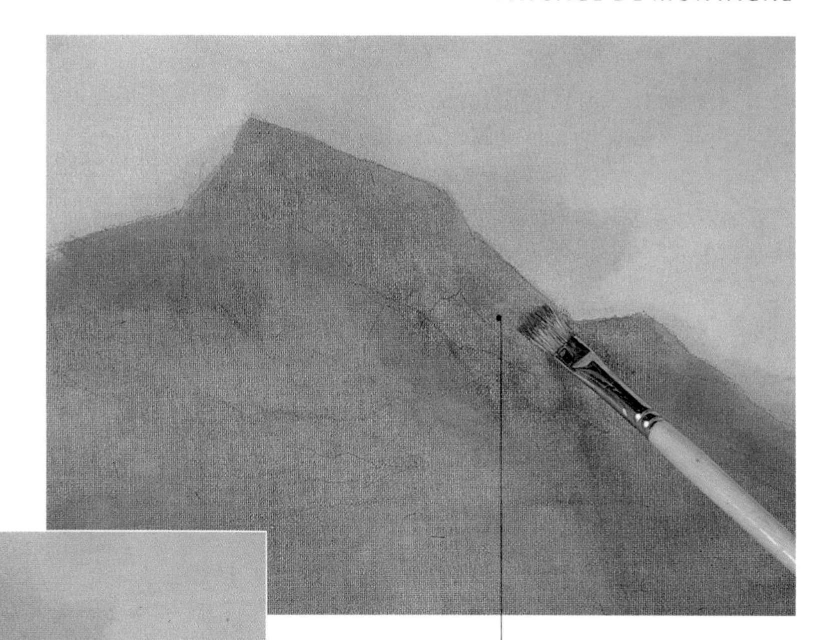

Appliquez un lavis très fin de jus bien dilué.

4 Laissez sécher. Retravaillez la montagne avec des couleurs légèrement plus foncées. Ajoutez un vert foncé composé de vert anglais, de gris de Payne et de terre d'ombre naturelle.

À ce stade, les jus sont toujours dilués et légèrement translucides.

5 Laissez sécher les lavis avant de passer à l'étape suivante. Servez-vous d'un sèche-cheveux pour accélérer le processus. Peignez les sommets enneigés avec du blanc de titane pur, enrichi d'un peu de médium mat. Travaillez d'abord au pinceau plat de 1,2 cm en soies de porc, puis avec une languette de papier cartonné.

La languette laisse des marques anguleuses qui évoquent très bien les névés accrochés aux reliefs accidentés.

6 Sur les pentes plus basses, la neige a commencé à fondre pour laisser apparaître la couleur des rochers et de la végétation. Appliquez de fins lavis de blanc avec le pinceau plat de 2,5 cm en soies de porc et estompez soigneusement les touches.

La peinture ne doit pas recouvrir totalement la couleur foncée afin d'évoquer la finesse de la couche de neige.

7 Peignez les sapins qui émaillent le flanc de la montagne. Travaillez au pinceau plat de 1,2 cm en soies de porc avec un vert foncé composé de vert brillant, de gris de Payne et de terre d'ombre naturelle.

Avec l'extrémité des soies, peignez chaque arbre en posant une seule touche verticale.

8 Une fois les arbres placés, précisez les pentes en étirant la peinture en longues diagonales fines à l'aide d'une languette de papier cartonné.

Tracez des lignes de peinture blanche avec la tranche du papier cartonné.

9 Pour le grand sapin à gauche, mélangez un vert foncé avec du vert brillant, du gris de Payne et de la terre d'ombre naturelle. Appliquez la couleur au pinceau éventail en tapotant l'extrémité des soies sur la surface pour figurer les branches irrégulières.

Servez-vous uniquement de l'extrémité des soies afin de rendre la forme dentelée et irrégulière des branches de sapin.

10 Une fois l'ossature des sapins définie en vert foncé, laissez sécher la peinture. Préparez un vert plus clair en ajoutant simplement du jaune citron et du blanc au vert précédent. Appliquez ce vert au pinceau éventail en procédant comme à l'étape 9 pour rendre les aiguilles plus claires sur le fond vert foncé.

Travaillez délicatement sur le vert foncé afin de ne pas le dissimuler entièrement.

11 Pour les autres arbres du plan moyen : utilisez le pinceau à filet et les mêmes nuances de vert foncé et vert clair que précédemment, mais en les diluant davantage avec de l'eau.

Le pinceau à filet se prête bien aux touches fines et précises des branches des sapins.

12 Préparez un bleu clair avec du bleu de céruleum et du blanc de titane. Ajoutez du médium mat pour obtenir une consistance crémeuse. Appliquez la couleur sur le ciel par des touches saccadées avec le pinceau plat de 1,2 cm en soies de porc.

Espacez les touches et faites varier leur sens.

13 Laissez sécher cette première couche. Éclaircissez encore le bleu du ciel en ajoutant du blanc et retravaillez la surface avec le pinceau plat de 1,2 cm en soies de porc.

Variez le sens des touches sans les serrer de manière à laisser apparaître, par endroits, les couleurs de la sous-couche.

14 Passez au premier plan : préparez un mélange de terre d'ombre naturelle et de jaune de cadmium pour obtenir un ton chaud qui formera la couleur de base des rochers et de la terre caillouteuse qui s'étend sur le tiers inférieur du tableau.

Étirez soigneusement la couleur sur toute la largeur de la composition avec le pinceau plat de 1,2 cm en soies de porc et variez l'intensité et l'épaisseur de la peinture pour créer un effet de texture.

15 Appliquez des couches plus épaisses à l'aide du couteau langue-de-chat.

En étirant la pâte à partir des rochers, vous obtiendrez un bord vif qui fera ressortir le volume des formes.

16 Sans laisser sécher la peinture, dessinez les affleurements rocheux en grattant la peinture avec l'extrémité pointue du couteau à peindre.

Appliquez la technique du sgraffito sur la peinture humide.

17 Pour créer l'effet de texture des affleurements rocheux, mélangez de la pâte texturante au sable à de la terre d'ombre naturelle, un peu de jaune de cadmium, du gris de Payne et du blanc.

Appliquez plutôt la peinture épaissie avec des pâtes texturantes au couteau : elles ont tendance à former des grumeaux entre les soies des pinceaux.

18 Pour les rochers de gauche, mélangez du blanc de titane, de la terre d'ombre naturelle et du jaune de cadmium. Travaillez avec le pinceau plat de 1,2 cm en soies de porc et de la peinture épaisse, mais sans pâte texturante.

19 Laissez sécher la peinture. Pour les parties enrichies en pâte texturante, le séchage peut être assez long, mais vous pouvez accélérer le processus avec un sèche-cheveux. Préparez un brun foncé à partir de terres d'ombre naturelle et brûlée. Appliquez ce brun au pinceau plat de 1,2 cm en soies de porc sur les zones texturées. Projetez un peu de peinture sur les rochers et les affleurements du premier plan.

Suivez les contours de chaque rocher pour leur donner davantage de précision.

Appliquez la peinture en fins glacis sur les effets de texture, vous ferez ressortir la forme des rochers et des affleurements.

20 Pour terminer, précisez les détails et les contours en travaillant au couteau avec un mélange crémeux de terre d'ombre brûlée et de gris de Payne.

Trempez la lame dans la peinture crémeuse et passez le couteau sur le côté, en étirant soigneusement la peinture pour obtenir une marque plus nette et plus vive qu'avec un pinceau.

Le tableau achevé

La palette réduite de couleurs froides restitue très bien la majesté glacée de cette scène de montagne. L'impression générale, fraîche et vivifiante, est accentuée par la notion d'espace et la perspective. Les arbres sur le côté, sentinelles sombres dans la composition, dominent le plan moyen, tandis que le mariage des textures et des couleurs plus chaudes forment un premier plan qui paraît très proche du spectateur.

Femme en jupe bariolée

Couleurs et médiums

1 Terre d'ombre brûlée
2 Bleu outremer
3 Rouge de cadmium
4 Jaune de cadmium
5 Blanc de titane
6 Gris de Payne
7 Bleu de céruleum
8 Alizarine cramoisie
9 Terre d'ombre naturelle
Médium acrylique mat

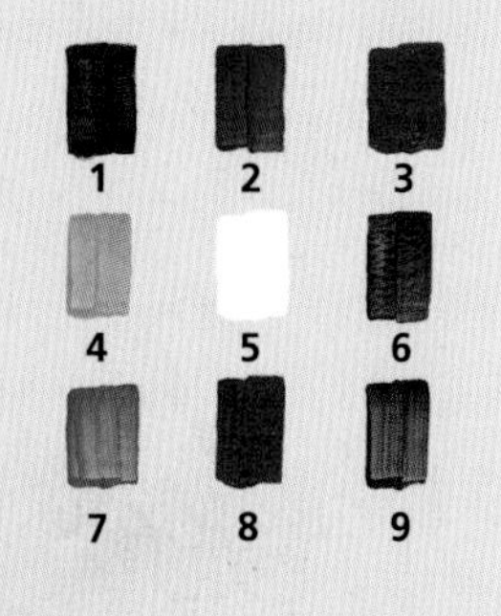

Matériel

Toile montée sur châssis (45 x 60 cm)
Fusain dur en crayon
Pinceau plat en soies de porc de 1,2 cm
Pinceau plat en soies synthétiques de 1,2 cm
Cutter
Ruban cache
Papier pour les masques

Techniques

Les aplats opaques (40)
Les masques (50)
La composition (80)

Ce projet fait intervenir plusieurs méthodes de masquage pour obtenir des bords nets et précis. En raison de sa rapidité de séchage, l'acrylique convient bien à la technique des réserves, ne serait-ce que parce qu'elle permet de poser les masques de papier presque immédiatement, sans interrompre le rythme de travail. Avec un peu d'expérience, vous travaillerez avec des masques sur la peinture humide sans l'abîmer.

1 Esquissez les grandes lignes de la composition au fusain. La femme doit occuper toute la hauteur du support, mais il faut la décaler sur le côté, comme si ses yeux regardaient au-delà du tableau, vers la droite.

Le crayon fusain, assez dur, donne une ébauche précise, même sur les surfaces très texturées.

2 Avec le pinceau plat de 1,2 cm en soies de porc, posez les couleurs principales de la peau en utilisant des mélanges de terre d'ombre brûlée, de bleu outremer, de rouge de cadmium, de jaune de cadmium et de blanc de titane. Diluez les couleurs à l'eau et ajoutez un peu de médium mat tout au long de la réalisation du tableau.

Les touches du pinceau épousent les contours du personnage.

3 Continuez à poser les couleurs sur tout le corps en jouant sur les tons clairs et foncés pour modeler les volumes.

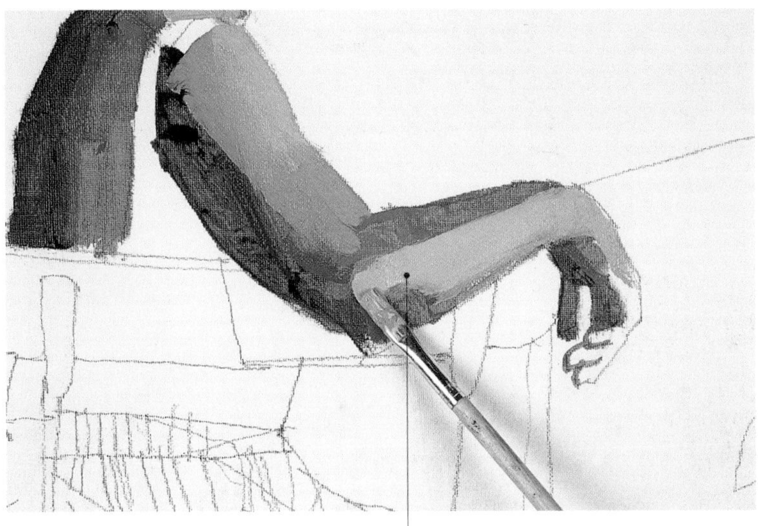

Les touches doivent être larges, mais leur direction doit rester précise.

4 Passez ensuite à la chevelure. Avec le même pinceau, appliquez un brun-bleu foncé composé de gris de Payne et de terre d'ombre brûlée.

Renforcez l'effet de réalisme en continuant à poser les touches de manière à ce qu'elles épousent les contours du visage.

5 Ajoutez du gris de Payne dans le mélange et peignez le haut. Avec la même nuance, posez les ombres situées dans le dos du modèle et sur la jupe.

Les touches foncées doivent suivre l'ébauche au fusain tout en la soulignant.

6 Pour la ceinture vert sourd, mélangez du jaune de cadmium avec un peu de bleu de céruleum, puis rabattez la couleur avec une goutte d'orange composé de rouge de cadmium et de jaune de cadmium (que vous utiliserez pour la partie orangée de la jupe). Posez les gris au milieu de la jupe (gris de Payne et blanc). Ajoutez du blanc et un peu de rouge de cadmium dans la nuance orange afin d'obtenir le rose orangé clair du volant de la jupe.

Peignez le motif coloré du bas de la jupe en travaillant avec le côté du pinceau de manière à former des touches assez étroites.

7 Préparez un rouge vif avec du rouge de cadmium et un peu d'alizarine cramoisie. Peignez les barreaux de la chaise.

Pour obtenir des touches fines et précises, travaillez avec le côté du pinceau en posant une seule touche ferme de haut en bas.

8 Préparez un gris moyen pour le mur en mélangeant du gris de Payne, un peu de jaune de cadmium et une grande quantité de blanc.

Appliquez le gris en touches amples sur le fond, en travaillant avec précision autour de la silhouette.

9 Posez le gris moyen autour de la partie ensoleillée du mur. Ajoutez du blanc au mélange et peignez la forme éclairée par le soleil.

Posez quelques touches de gris plus foncé dans le gris clair afin d'évoquer de vagues ombres, comme si le soleil brillait à travers le feuillage des arbres plantés devant la fenêtre de droite (hors de vue).

10 Laissez sécher. Il est possible de retravailler les couleurs pour en préciser les nuances ou pour les intensifier. Dans ce cas, reprenez les étapes précédentes dans l'ordre. Utilisez le pinceau plat de 1,2 cm en soies synthétiques pour modeler les tons de la chair.

Les soies synthétiques donnent des touches plus lisses et plus précises.

11 Retravaillez la jupe avec les mêmes couleurs que précédemment, mais ajoutez du blanc pour qu'elles soient plus pâles et plus opaques.

Modelez les ombres des plis en laissant apparaître la couleur foncée de la sous-couche.

12 Peignez le motif du bas de la jupe avec une palette vive d'orangé, de rouge et de bleu à l'aide du pinceau en soies synthétiques.

Travaillez avec le côté des soies et exercez une pression légère pour que le pinceau laisse des marques fines et précises.

13 Pour mieux éclairer la figure, vous devez foncer la couleur du fond. Utilisez un masque en papier pour certaines parties du mur. Préparez un gris avec du gris de Payne, de la terre d'ombre naturelle et du blanc. Appliquez-le en plaçant le masque en papier (voir illustration).

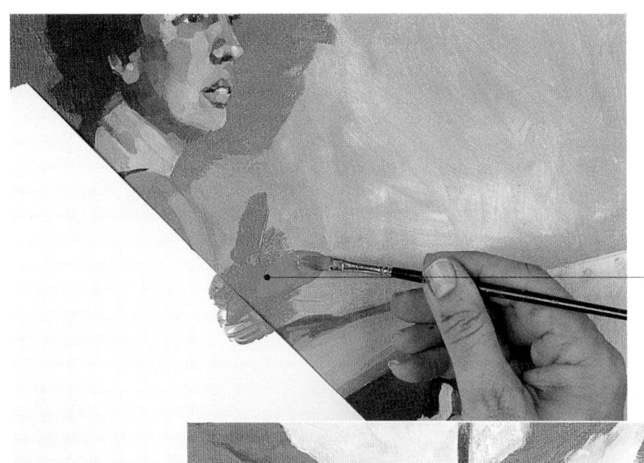

Pour que la peinture ne glisse pas sous le papier, appliquez les touches au bord du masque vers l'extérieur.

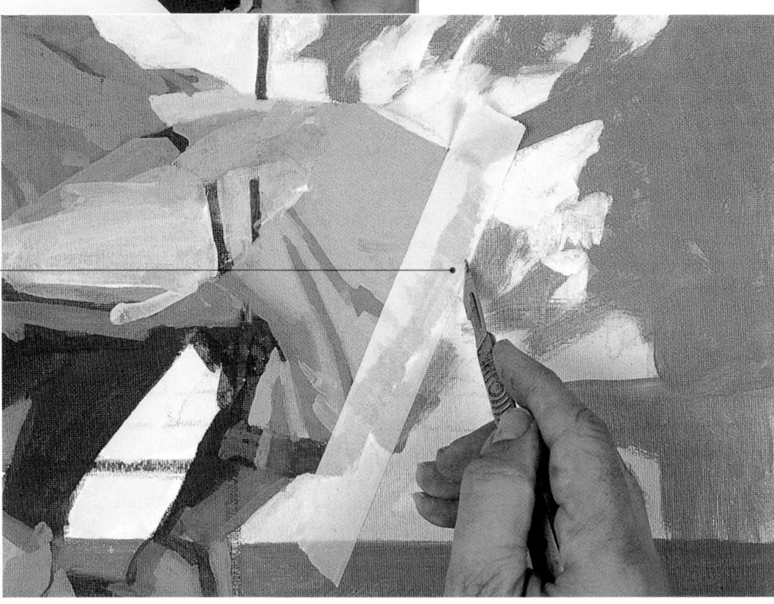

La pression doit rester légère pour que le cutter n'entaille pas le support.

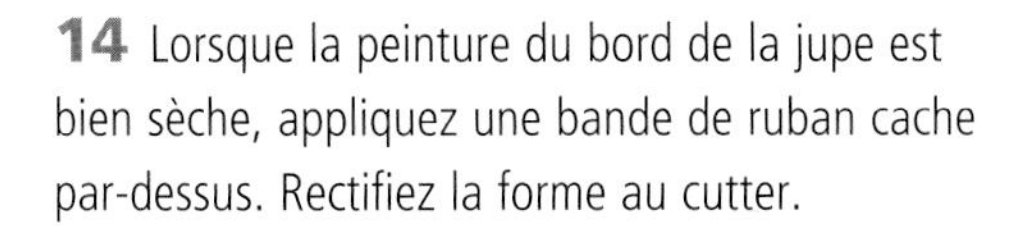

14 Lorsque la peinture du bord de la jupe est bien sèche, appliquez une bande de ruban cache par-dessus. Rectifiez la forme au cutter.

15 Retirez le ruban cache superflu en vérifiant que le reste est bien fixé. Appliquez la peinture grise en posant de nouveau les touches à partir du masque vers l'extérieur. Retirez le masque avant de laisser sécher la peinture.

16 Posez une longueur de ruban cache pour former le bord droit du tapis. Préparez un brun avec de la terre d'ombre naturelle, de la terre d'ombre brûlée, du jaune de cadmium et du blanc. Peignez le tapis en variant le sens des touches.

Préparez une couleur de consistance crémeuse afin d'obtenir un bord net et précis.

Commencez par la partie foncée. Ajoutez du blanc au mélange pour obtenir un brun plus clair et peindre la partie éclairée par le soleil.

17 Sur la peinture sèche, vous pouvez poser des masques plus complexes pour préciser la forme de la chaise. Posez le ruban cache et adaptez les découpes à la forme des barreaux.

Découpez soigneusement le ruban cache pour former les courbes. Pour les courbes très étroites, utilisez un morceau de ruban cache plus petit.

18 Lorsque tous les masques de ruban cache sont en place, peignez la chaise avec un mélange vif de rouge de cadmium et d'alizarine cramoisie.

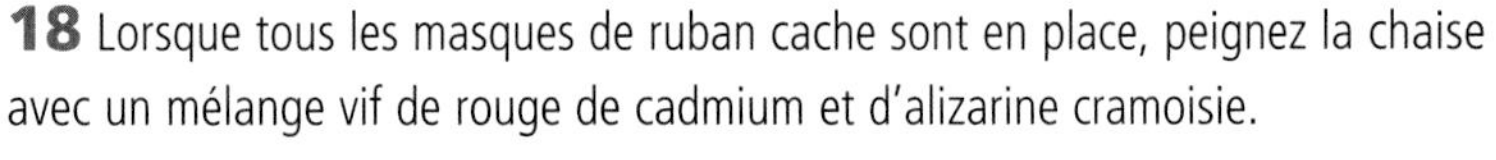

Pour les ombres, laissez apparaître la couleur foncée de la sous-couche.

Le tableau achevé

La technique des masques apporte de la précision à un tableau au demeurant très spontané. Rapide et efficace, elle introduit un effet de contraste dans une composition au style libre, mais vous ne devez pas en abuser. Les techniques ici sont relativement précises, mais vous pourriez opter pour des masques moins réguliers, par exemple dans un paysage, en déchirant le papier au lieu de le découper aux ciseaux.

Scène de marché

Couleurs et médiums

1 Gris de Payne
2 Terre d'ombre naturelle
3 Rouge de cadmium
4 Jaune de cadmium
5 Bleu outremer
6 Terre d'ombre brûlée
7 Blanc de titane
8 Alizarine cramoisie
9 Bleu de céruleum
10 Vert anglais
Médium acrylique mat

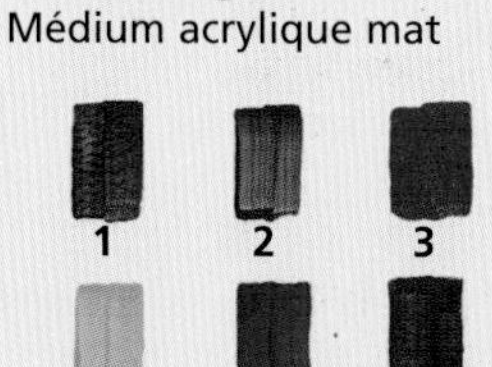

Matériel

Panneau en MDF enduit de gesso (45 x 35 cm)
Papier fin peint à l'acrylique
Mine graphite 3B
Pinceau plat en soies synthétiques de 0,8 cm
Pinceau en soies de porc de 1,2 cm
Cutter
Planche à découper
Crayon pastel blanc
Papier-calque
Crayon à mine dure

Techniques

Les collages (72)
Les techniques mixtes (74)

Les qualités adhésives de la peinture acrylique et de ses médiums en font un mode d'expression intéressant pour la technique du collage. En outre, la peinture n'étant pas acide, elle n'entraîne pas la détérioration du papier. Vous pouvez utiliser toutes sortes de papiers, depuis le papier journal ou le papier glacé des revues jusqu'aux tickets de bus ou de train en passant par les papiers peints ou fabriqués à la main.

1 Esquissez les grandes lignes de la composition à la mine de graphite. Les figures occupent le tiers supérieur du tableau tandis que les légumes s'étalent jusqu'au premier plan. Les proportions relatives des différents éléments permettent d'installer une impression de perspective assez marquée.

L'ébauche doit être assez précise, car elle servira de guide pour la suite.

2 Avec le pinceau synthétique de 0,8 cm, esquissez les personnages du fond avec des mélanges très dilués de gris de Payne et de terre d'ombre naturelle enrichis de médium mat.

La peinture doit être assez diluée et les touches précises.

3 Préparez la couleur de la peau avec du rouge de cadmium, du jaune de cadmium, du bleu outremer, de la terre d'ombre brûlée et du blanc. Appliquez les jus en couches aussi fines que précédemment.

4 Pour l'auvent de l'angle supérieur gauche, utilisez un ton sourd de violet composé de terre d'ombre brûlée, d'une goutte d'alizarine cramoisie et de bleu de céruleum. Préparez un orange sourd pour les fruits que tient la jeune fille avec de la terre d'ombre brûlée, du jaune de cadmium, du blanc et un peu de rouge de cadmium. Représentez les citrons avec du jaune de cadmium. Peignez le feuillage et les légumes verts avec un camaïeu de vert moyen composé de jaune de cadmium, de vert anglais et de terre d'ombre brûlée.

La finesse des couches laisse apparaître la couleur foncée de la couche précédente.

Ne lissez pas les touches de pinceau afin d'enrichir la texture.

5 Peignez les cagettes avec un mélange de terre d'ombre naturelle et de jaune de cadmium ; peignez les fruits et les légumes avec des mélanges divers de rouge de cadmium, d'alizarine cramoisie et de jaune de cadmium. Enfin, représentez les ardoises avec du gris de Payne et de la terre d'ombre brûlée.

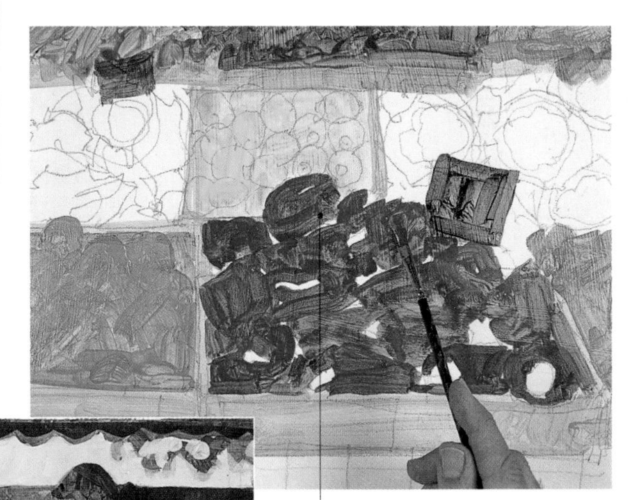

Inutile d'insister sur les détails. Il s'agit simplement de poser des touches de couleur pour guider le collage.

6 Lorsque l'ensemble est satisfaisant, laissez sécher la peinture. Reportez la composition sur une feuille de papier-calque en simplifiant les contours afin de disposer d'un patron pour découper le papier.

Si la peinture n'est pas assez sèche, le papier-calque risque d'adhérer à la surface ou de tacher le tableau.

7 Retournez la feuille de calque et posez-la envers contre envers sur le papier à découper. Au crayon à mine dure, repassez sur les tracés pour les imprimer sur le papier à découper.

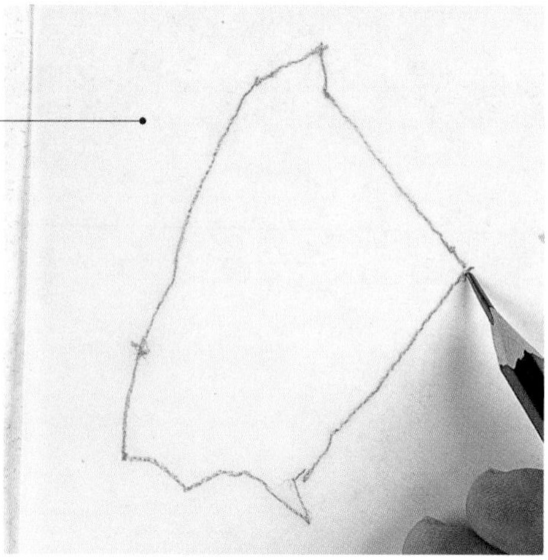

Reportez le tracé initial sur l'envers du papier à découper afin de disposer d'une empreinte à l'endroit pour coller la forme sur le tableau.

8 Sur une planche à découper ou un morceau de papier cartonné, découpez les contours des formes en papier au cutter.

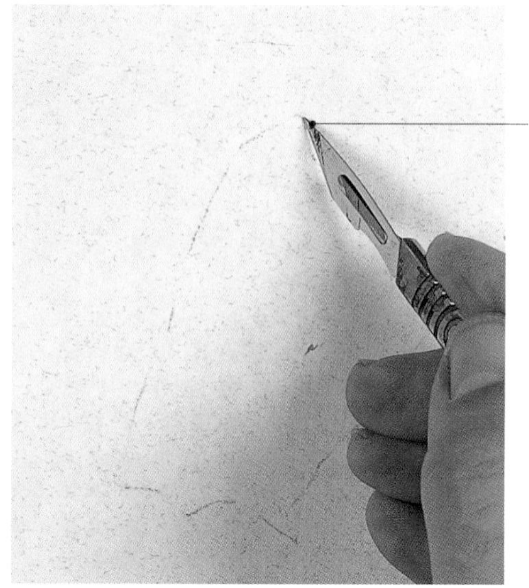

La lame du cutter doit être bien affûtée pour laisser des découpes fines et précises. Remplacez-la si nécessaire.

9 Vérifiez les patrons sur les parties correspondantes du tableau avant de commencer à coller les formes.

Rectifiez éventuellement les formes au cutter.

10 Collez les formes avec le médium mat. Déposez une touche de médium directement sur le tableau et posez aussitôt la forme en papier. Ajoutez une couche de médium par-dessus et, avec le pinceau plat en soies de porc de 1,2 cm, lissez pour fixer le collage.

En séchant, les traces de médium disparaissent car il devient transparent.

11 Continuez à coller les formes en progressant de l'arrière-plan vers le premier plan. Pour les formes simples, vous pouvez vous passer de papier-calque et découper les contours à main levée.

Vous pouvez superposer les couches de papier très fin (papier de soie par exemple). En revanche, si vous utilisez du papier très épais, vous devrez peut-être en rectifier les contours pour que les formes s'emboîtent correctement.

12 Jouez sur la forme des collages de manière à reproduire au mieux les articles représentés. Il ne s'agit pas de reproduire la réalité avec précision, mais de poser des formes simples et évocatrices.

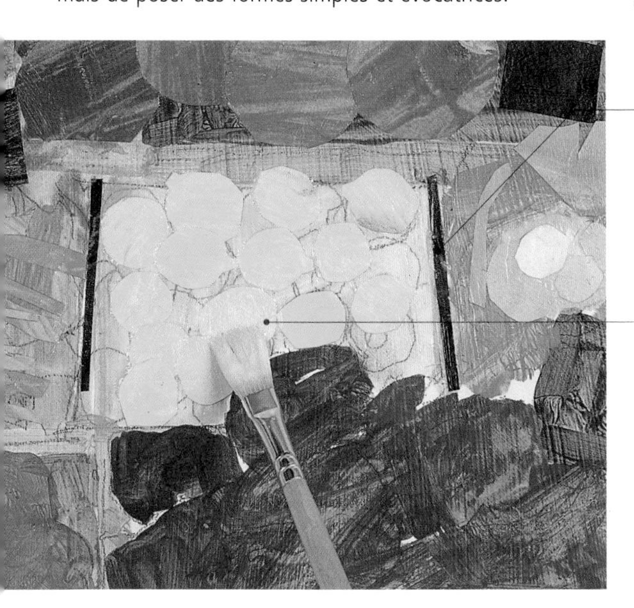

Les fines bandelettes de papier foncé marquent les bords des cagettes en installant la perspective.

Les touches libres du papier peint révèlent tout leur intérêt en donnant au sujet – ici la peau du citron – sa texture et son volume.

Exploitez les qualités adhésives de l'acrylique en collant les formes en papier directement sur la peinture humide.

13 Faites ressortir les poivrons rouges sur le fond : posez des touches de rouge foncé composé d'alizarine cramoisie, de terre d'ombre brûlée et de gris de Payne en suivant les contours.

Tout en unifiant la partie réservée aux poivrons, le ton foncé du papier les fait ressortir et leur donne du volume.

Fixez les formes en commençant par le fond de la cagette pour terminer au premier plan afin que chaque article occupe une position cohérente par rapport aux autres.

14 Découpez des poivrons en déclinant les formes pour obtenir des modèles assez réalistes. Collez l'ardoise en papier foncé sur l'étalage avant de poser les poivrons en papier.

15 Dans du papier vert, découpez les tiges incurvées et quelques disques pour représenter les tiges vues de dessus.

Le vert, complémentaire du rouge, fait paraître les deux couleurs plus intenses par contraste.

16 Découpez et collez du papier gris foncé pour représenter les ombres sous les cagettes qui surplombent les tables.

Les ombres créent un effet de profondeur et font avancer les bords des cagettes.

17 Laissez sécher le tableau. Inscrivez le prix des articles sur les ardoises avec un crayon pastel blanc.

En évoquant la texture de la craie, le crayon pastel donne une touche encore plus réaliste à l'ensemble.

18 Pour rendre les veines du bois, tracez quelques lignes à la mine de graphite sur le devant des cagettes.

La surface doit être tout à fait sèche et les tracés ne doivent pas être trop rectilignes pour mieux évoquer les veines irrégulières du bois.

Le tableau achevé

Le résultat évite avec talent le piège courant des collages – à savoir un contraste trop puissant entre les formes en papier et les plages de peinture. Ici, l'ensemble adopte une unité parfaite, notamment parce que le papier a été préalablement peint au pinceau. Ce type d'approche permet de créer des textures originales que les contours nets et précis des découpes mettent en valeur, tout en attirant l'attention sur les formes mêmes des légumes.

Nature morte II

Couleurs et médiums

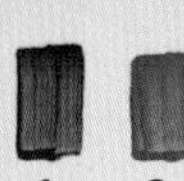

Acryliques
1 Terre d'ombre naturelle
2 Bleu de céruleum
3 Jaune de cadmium
4 Blanc de titane
5 Terre d'ombre brûlée
6 Rouge de cadmium
7 Alizarine cramoisie
8 Bleu outremer
9 Gris de Payne
Médium acrylique mat

Crayons pastels
Gris
Ocre
Terre cuite
Terre d'ombre

Pastels tendres ou durs
Bleu clair et bleu foncé
Terre d'ombre brûlée
Gris chaud
Ocre jaune
Terre d'ombre naturelle

Matériel

- MDF enduit de gesso (65 x 45 cm)
- Mine graphite tendre (ou crayon)
- Pinceau en soies de porc de 1,2 cm
- Pinceau rond en soies synthétiques, de taille moyenne
- Colour Shaper de taille moyenne
- Pinceau plat en soies synthétiques de 1,2 cm
- Petite éponge naturelle
- Pinceau à décor en soies de porc de 4 cm
- Grande plume d'oiseau

Techniques

La préparation des supports (32)
Les aplats opaques (40)
La peinture à l'éponge (48)
Les projections (58)
Les techniques mixtes (74)

Les techniques mixtes ouvrent tout un éventail de possibilités. De plus, l'acrylique peut être associée avec une multitude d'autres pigments. La seule restriction vient de ce qu'il s'agit d'une peinture à l'eau, et qu'il est par conséquent impossible de lui adjoindre des pigments à l'huile. En revanche, vous pouvez utiliser du fusain, du pastel ou du graphite, ainsi que tous les instruments de dessin qui, mélangés à des médiums conçus pour l'acrylique, adoptent la consistance de la peinture en conservant leurs caractéristiques. Cette propriété permet d'explorer des techniques qui, tout en préservant l'apparence du matériau initial, l'enrichissent d'une nouvelle dimension qui ajoute encore à l'intérêt du tableau.

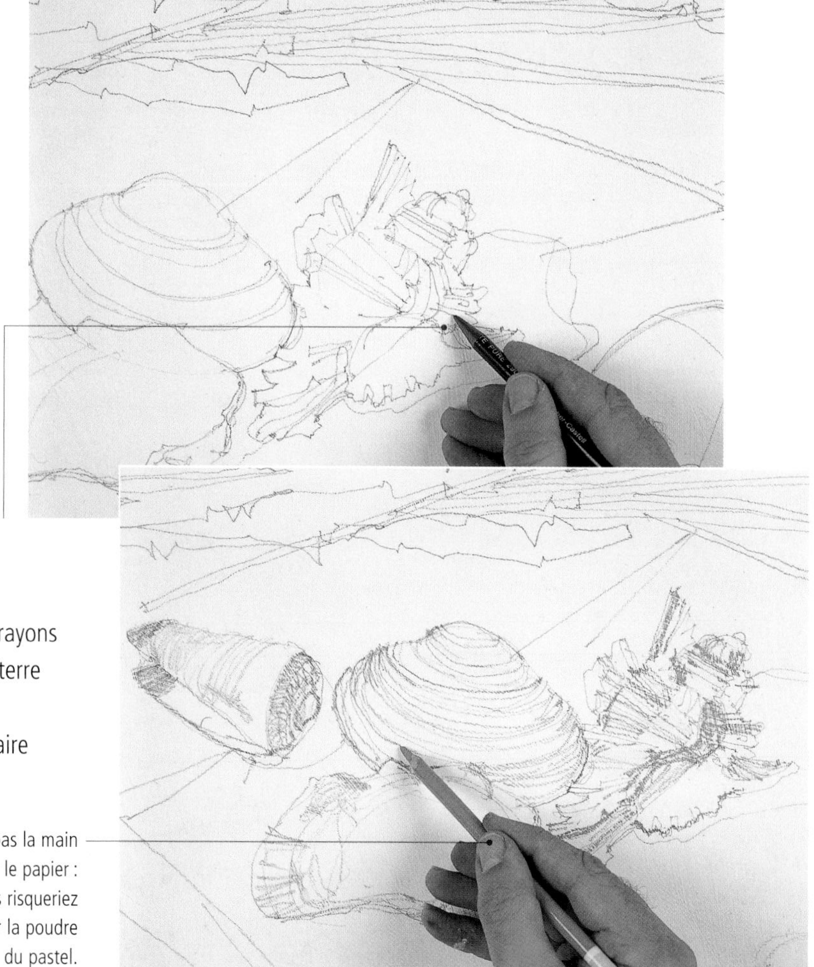

1 Esquissez la composition avec une mine de graphite tendre et aiguisée, ou avec un crayon. La majeure partie du dessin préliminaire va apparaître dans le tableau final, il est donc conseillé d'en soigner le tracé en dessinant des traits fluides et harmonieux.

Les instruments de dessin accrochent bien la surface enduite de gesso.

2 Complétez l'ébauche avec des crayons pastels gris, ocre, terre d'ombre et terre cuite. Au lieu de poser des plages de couleur, conservez un tracé linéaire et ouvert.

Ne posez pas la main sur le papier : vous risqueriez d'effacer la poudre du pastel.

3 Ajoutez des couleurs avec les pastels durs bleu clair et bleu foncé. Travaillez avec la tranche de manière à appliquer la couleur en ombres légères. Vous pouvez aussi utiliser des pastels tendres.

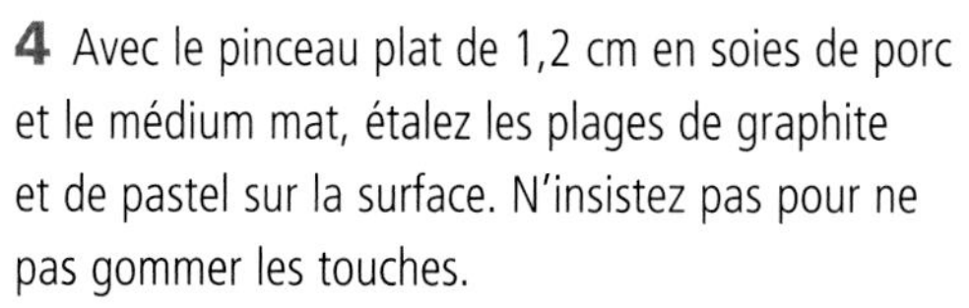

4 Avec le pinceau plat de 1,2 cm en soies de porc et le médium mat, étalez les plages de graphite et de pastel sur la surface. N'insistez pas pour ne pas gommer les touches.

Les traces d'enduit rythment les plages de couleur et enrichissent la texture de l'ensemble.

Au séchage, le médium fixe définitivement les touches de graphite et de pastel.

5 De la même manière, précisez les volumes des galets avec des pastels terre d'ombre brûlée et gris chaud. En se mélangeant au médium, le pastel donne une couleur d'une belle profondeur.

Utilisez un pinceau assez ferme pour créer une surface texturée avec le médium acrylique.

6 Passez aux capsules de pavot et répétez l'opération en procédant comme pour les galets et en utilisant du pastel ocre jaune. Ne soyez pas trop précis : la couleur peut déborder légèrement des tracés initiaux.

Les tracés de graphite du dessin préliminaire demeurent visibles sous les applications de pastel.

7 Laissez sécher le tableau. Retravaillez ensuite les formes en utilisant du graphite et du pastel et en conservant le style linéaire d'un dessin au trait.

Le travail au trait permet de décrire la forme des objets tout en leur donnant du volume.

8 Préparez une nuance gris-vert sourde en mélangeant de l'acrylique terre d'ombre naturelle, du bleu de céruleum, un peu de jaune de cadmium et du blanc. Ajoutez de l'eau et du médium mat. Peignez rapidement les feuilles de pavot. Sans laisser sécher, modelez la peinture au Colour Shaper pour préciser les formes.

Travaillez rapidement sur la peinture humide. Si nécessaire, il est possible de remplacer le médium mat par du médium retardateur.

9 Retravaillez les traits de graphite et de pastel avec le pinceau rond en soies synthétiques et de la peinture blanche assez épaisse pour préciser les volumes du coquillage.

L'acrylique blanche n'est pas totalement opaque. Si vous avez l'intention d'effacer certaines erreurs, prévoyez-en plusieurs couches.

10 Pour le motif du galet brun foncé, préparez un mélange ocre de terre d'ombre brûlée, de jaune de cadmium et d'un peu de rouge de cadmium. Appliquez la couleur à l'éponge naturelle.

Mouillez et essorez l'éponge avant de la tremper dans la peinture. Travaillez sans exercer trop de pression afin de conserver l'empreinte de la texture de l'éponge.

11 Appliquez plusieurs couches de couleur sur le galet en éclaircissant progressivement le ton et en laissant sécher chaque couche avant d'appliquer la suivante. Diluez la peinture blanche jusqu'à une consistance crémeuse et appliquez-la sur le galet gris à l'aide de l'extrémité d'une grande plume, d'un coin de chiffon ou d'un pinceau éventail.

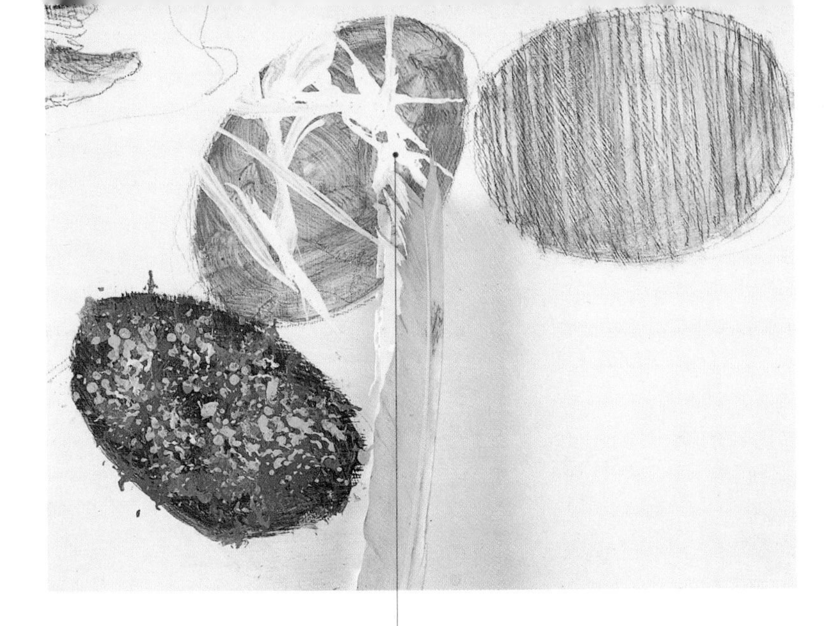

Cette technique de finition sert notamment à imiter le marbre.

12 Pour la texture du troisième galet, projetez de la peinture blanche en utilisant un pinceau à décor aux soies assez raides.

Faites un essai sur une chute de papier afin de vérifier la consistance de la peinture : elle doit être assez fluide pour faciliter les projections.

13 Laissez sécher le tableau avant de peindre le fond en rose pour représenter le papier de soie. Mélangez de l'alizarine cramoisie et un peu de rouge de cadmium avec du bleu outremer et du blanc. Appliquez la couleur avec le pinceau plat de 1,2 cm en soies synthétiques.

Les touches doivent épouser les contours des objets, les préciser sans les estomper.

14 Laissez sécher avant de retravailler le fond avec le même mélange simplement enrichi de blanc.

Laissez apparaître par endroits les touches foncées de la sous-couche afin de modeler les ombres portées sur le fond.

15 Foncez les ombres à la mine de graphite en traçant des hachures dans différentes directions.

Les hachures doivent rester assez espacées, dans l'esprit du dessin initial.

16 Pour terminer, peignez la surface brun foncé de la table. Travaillez avec le pinceau plat de 1,2 cm en soies synthétiques et un mélange de terre d'ombre naturelle et de gris de Payne.

Afin d'obtenir une surface assez opaque, appliquez plusieurs couches de peinture si nécessaire.

Le tableau achevé

Le mariage des techniques donne une grande originalité à un sujet classique prouvant, si besoin est, à quel point la méthode conditionne le résultat final. Il ne s'agit ici que d'un exemple des possibilités des techniques mixtes, mais il devrait vous inspirer de nouvelles idées pour prolonger l'expérience.

Glossaire

A tempera À l'origine, technique de détrempe avec tout médium liquide utilisé pour lier (temperare) la couleur réduite en poudre ; se réfère le plus souvent à la technique de la détrempe à l'œuf, à base de jaune d'œuf.

Apprêt Produit employé pour préparer l e support avant de le peindre afin notamment de le rendre moins poreux.

Cercle chromatique Disposition codifiée des couleurs fondée sur les théories qui en régissent les liens.

Collage Œuvre composée de plusieurs fragments de papier et autres matériaux assemblés par un adhésif (un médium dans le cas de l'acrylique).

Colour Shaper Pinceau ressemblant aux pinceaux classiques, mais dont les soies sont remplacées par une pointe en caoutchouc souple. Il laisse des marques semblables à celles des couteaux à peindre.

Conté® Bâtonnets de pigment comprimé (craie), lié avec de la gomme arabique.

Couleurs complémentaires Couleurs opposées sur le cercle chromatique : rouge et vert, bleu et orange, jaune et violet.

Couleurs primaires Les seules couleurs que l'on ne peut obtenir par mélanges : rouge, jaune, bleu.

Couleurs secondaires Couleurs obtenues en mélangeant deux couleurs primaires.

Couleurs tertiaires Couleurs obtenues par mélange d'une couleur primaire avec la couleur secondaire voisine sur le cercle chromatique.

Couteau à palette Il sert à mélanger de grandes quantités de peinture sur la palette. Il peut également être utilisé pour poser la peinture sur le tableau, comme un couteau à peindre.

Couteau à peindre Pour poser la peinture sur une surface ou pour la gratter afin de créer des effets de texture ou corriger les erreurs.

Empâtement (ou *impasto*) Technique qui consiste à appliquer la peinture en touches épaisses de manière à former des reliefs marqués sur le tableau.

Épaississant (ou *structurant*) Médium acrylique servant à augmenter le volume de la peinture (voir aussi Fluidifiant et Gel).

Espace négatif Espace séparant ou entourant les éléments d'un sujet – par exemple la silhouette des immeubles sur un fond de ciel.

Fixatif Médium fin que l'on vaporise sur le fusain ou sur le pastel pour éviter que la poudre ne s'étale.

Fluidifiant Médium employé dans l'émulsion acrylique de manière à ce qu'elle coule plus facilement. Le fluidifiant augmente le volume de la peinture sans en altérer la couleur.

Fondu Opération consistant à retravailler et estomper les bords de deux plages de couleurs différentes de manière à ce que la transition entre les deux soit progressive.

Frottis Application estompée d'une couche opaque fine de peinture sur une autre de couleur différente de manière à ce que la première transparaisse par endroits.

Fusain Instrument de dessin, disponible sous forme de poudre, mais aussi, comprimé, sous forme de bâtonnet ou en crayon présentant des duretés différentes.

Gel Version classique des médiums de base brillant et mat. Les médiums en gel donnent du corps à la peinture et sont souvent employés pour les empâtements. Ils améliorent aussi la transparence de la couleur.

Gesso Mélange de colle et de pigment blanc, traditionnellement employé pour enduire un support rigide afin d'en boucher les pores.

Glacis Lavis transparent de couleur appliqué sur une couleur précédente.

Gouache Peinture à l'eau opaque.

Graphite Minerai à base de carbone utilisé notamment pour le dessin.

Grattage voir Sgraffito.

Humide sur humide Technique consistant à peindre directement sur les couches préalables de peinture, sans attendre qu'elles sèchent, afin de modifier ou de fondre les touches, les couleurs et les tons du tableau.

Humide sur sec Application de peinture humide sur un tableau ou une partie déjà sèche du tableau.

Impasto Voir Empâtement.

Jus Mélange de couleur et d'eau tel qu'il est préparé sur la palette. Une fois posé sur le tableau, on ne parle plus de jus mais de lavis. Le jus peut aussi désigner la couleur très diluée qui sert à teinter les fonds ou les sous-couches.

Lavis Technique fréquente de l'aquarelle employée avec l'acrylique. Les couches de couleur très diluée, appliquées successivement au pinceau, conservent leur transparence et conduisent au mélange des couleurs par superposition.

Marouflage Préparation des toiles fines que l'on fixe sur un panneau ou un support pour les rendre rigides ; avec l'acrylique, c'est le médium qui sert d'adhésif.

Masquage Action de recouvrir une partie du tableau pour la protéger d'une application de peinture. La zone est réservée en appliquant du papier, du liquide à masquer, de l'adhésif repositionnable, etc.

Médium Additif susceptible de modifier les qualités d'une peinture, de la diluer, de l'épaissir ou d'accélérer son séchage. Le mot désigne aussi les différentes sortes de peinture, comme l'aquarelle, la gouache, la peinture à l'huile, l'acrylique, etc. Parmi les médiums acryliques, on trouve des médiums mats, brillants, des retardateurs de séchage, des fluidifiants, des épaississants (ou structurants), des pâtes texturantes et des apprêts au gesso.

Mélange optique Couleurs primaires pures juxtaposées de manière à ce qu'elles paraissent se mélanger et donnent une couleur secondaire ; voir aussi Pointillisme.

Monogravure Impression d'une seule image.

Nuance Elle correspond au degré de chaleur ou de froideur d'une couleur ou d'une teinte.

Opacité Capacité d'un pigment à masquer complètement la couleur du support sur lequel il est posé.

Ouverture Technique de l'aquarelle qui consiste à retirer de la peinture au chiffon, à l'éponge ou encore au pinceau pour ouvrir des blancs.

Palette 1. La surface plane sur laquelle on pose et on mélange les couleurs. Les palettes pour l'acrylique, dites « Stay-Wet », conservent la peinture humide plus longtemps en fonctionnant par osmose : l'humidité qui s'évapore de la surface est remplacée par l'eau d'un réservoir (papier absorbant gorgé d'eau) situé sous la membrane semi-perméable, qui forme elle la surface de travail de la palette. 2. L'éventail de couleurs dans un tableau ou les nuances caractéristiques du style d'un seul artiste.

Papier à aquarelle Papier conçu pour les œuvres à l'aquarelle et autres matériaux humides comme l'acrylique.

Pastel Pigment broyé mélangé à un liant, présenté souvent sous forme de craie.

Pâte texturante Médium en pâte ou en gel enrichi d'agrégats qui servent à donner des reliefs à la peinture. On les mélange au moment de peindre.

Peinture acrylique Peinture à l'eau dont le liant est une résine acrylique synthétique.

Pellicule Couche épaisse qui se forme sur la surface des acryliques lorsqu'elles commencent à sécher.

Perspective La manière graphique de représenter l'effet produit par la distance sur les objets, soit par perspective aérienne (plus les éléments sont distants, plus ils sont peints en tons clairs, tirant sur le bleu et avec moins de détails et de contrastes pour traduire la présence d'un voile de particules atmosphériques entre eux et le spectateur), soit par perspective linéaire, méthode permettant de créer une illusion de profondeur et de trois dimensions sur la surface en deux dimensions du tableau par l'intermédiaire des droites fuyantes et des points de fuite.

Pinceau à estomper Pinceau aux soies en éventail, réservé aux fondus.

Pinceau à filet Pinceau à fine touffe de soies, ronde et allongée, qui servait à l'origine à peindre le gréement des voiliers.

Point de fuite Point situé sur la ligne imaginaire de l'horizon vers lequel convergent les droites de perspective.

Pointillisme Points de couleur pure juxtaposés sur une surface. L'ensemble adopte à une certaine distance la nuance correspondant au mélange des couleurs pures, mais le résultat est plus vif que si elles étaient mélangées physiquement sur la palette. Par exemple, le vert issu de la juxtaposition de points bleus et jaunes est plus intense que si le bleu et le jaune étaient mélangés avant.

Projection Action d'envoyer des gouttelettes de peinture sur le tableau, pour obtenir un effet moucheté.

Rabattre Ajouter du noir à la couleur pour assombrir son ton.

Règle des tiers Formule célèbre pour disposer de manière idéale différents éléments dans une composition.

Réserve Technique qui consiste à associer deux matériaux (par exemple cire et peinture acrylique) qui, dans des conditions normales, se repoussent mutuellement. La réserve désigne aussi la zone du tableau où le blanc reste visible, soit parce qu'elle n'a pas été recouverte de peinture, soit parce qu'elle a été préservée par un masque (liquide ou adhésif à masquer).

Retardateur Médium qui prolonge le temps de séchage de la peinture.

Sgraffito Action de gratter le papier ou une couche de couleur (avec une lame de cutter ou le manche du pinceau, voire au papier de verre) afin de laisser voir la couche précédente, sa couleur et sa matière. Le sgraffito est un moyen de représenter des textures variées.

Sous-couche Couche préalable de peinture qui formera une base (pour la couleur, le ton ou la texture, par exemple) pour les autres applications de peinture.

Structurant voir Épaississant.

Support Surface – toile, bois, aggloméré, papier, etc. – sur laquelle on réalise le tableau.

Teinte On emploie le mot « teinte » pour parler des couleurs indépendamment du clair et de l'obscur. Il désigne une des couleurs pures du spectre : rouge, orange, jaune, vert, bleu, indigo et violet.

Texture Effet de relief ou de motif de la peinture.

Ton Degré d'intensité lumineuse d'une couleur, allant du foncé au clair ; chaque couleur possède un ton intrinsèque (ou local).

Valeur tonale La clarté ou l'obscurité d'une couleur sur une échelle de blanc à noir ; voir aussi Ton.

Vernis Produit protecteur que l'on applique sur la surface du tableau définitif et sec pour le protéger des pollutions de l'air et des frottements.

Remerciements et crédits

Merci à Jo Fisher et Anna Knight de Quarto pour leur aide à la production de ce livre. Toutes les photogrpahies et illustrations sont sous copyright des éditions Quarto Publishing PLC, ou des artistes qui ont fourni les images. Les crédits individuels figurent dans le livre à côté de la reproduction concernée. Bien que tous les efforts aient été faits pour reconnaître chaque contributeur, nous présentons par avance nos excuses en cas d'omissions ou d'erreurs.

Pour en savoir plus

Aux éditions BROQUET Inc., des ouvrages pour apprendre le dessin, la peinture ou réaliser des œuvres artisanales, ect.

- LE NUANCIER DU PEINTRE, William F. Powel, 2005
- L'ensemble LE DESSINS AU CRAYON, Gene Franks, 2005

Bibliothèque de l'artiste (collection)
- L'AQUARELLE, Duane R. Light, 2005
- LA PEINTURE À L'HUILE, William Palluth, 2005
- DESSIN AU CRAYON, Gene Franks, 2005
- LA PERSPECTIVE, William F. Powell 2005
- LA COULEUR COMMENT L'UTILISER, William F. Powell, 2005
- L'ACRYLIQUE, R. Bradford Johnson, 2005

Inspiration artistique (collection)
- PEINTURE SUR BOIS, Michel Therrien, 2005
- ARRYLIQUE, Ian Sidaway, 2005
- OMBRE ET LUMIÈRE À L'AQUARELLE, Patricia Seligman, 2005
- AQUARELLE, Joe Francis Dowden, 2005
- PEINTURE À L'HUILE, Brian Gorst, 2005
- INITIATION À LA COUTURE, Alison Brown Cerier, 2005
- INITIATION AU VITRAIL, Eric Ebeling, 2004
- REFLET D'UNE ÉPOQUE, Sue Iliov, 2003
- AMBIANCE FLORALE, Julie Neilson-Kelly, 2003

Décoration
- FACELIFT, Debbie Travis, 2005
- L'AGENCEMENT DES COULEURS, Anna Starmer, 2006
- L'HARMONIE DES COULEURS, Caroline Atkins, 2004
- PEINTURE DÉCORATIVE, Kerry Skinner, 2006
- PEINTURE ET DÉCORATION DE MEUBLES, Sheila McGraw, 2003
- SOLUTIONS DÉCORATIONS, Debbie Travis, 2005
- TECHNIQUES DE PEINTURE l'art des faux-finis,
  Sharon Ross, Elise Kinkead, 2004